D0715773

RENAÎTRE

PAR LA PASSION DE VIVRE

André Harvey

RENAÎTRE

PAR LA PASSION DE VIVRE

PRODUCTIONS ANDRÉ HARVEY

Catalogage avant publication de Bibliothèque et Archives Canada

Harvey, André, 1950-

Renaître par la passion de vivre : pour ceux qui en ont assez de dormir leur vie—

Comprend un index.
ISBN 2-9809028-0-2

1. Réalisation de soi. 2. Vie - Philosophie. I. Titre.

BF637.S4H362 2005   158.1   C2005-941534-7

Édition
Productions André Harvey
19, rue Rioux, Québec (Québec) G1K 9H8
www.andreharvey.info

Diffusion
Téléphone : (418) 575-7943
Courriel : harvey@globetrotter.net

Révision
Jacynthe Gagnon, François Mathieu, Germaine Carrier-Maurice

Couverture
Christian Côté

Photo de la couverture
Bruno Beauregard

Tous droits réservés
Productions André Harvey
© Copyright Ottawa 2005

Dépôt légal
Bibliothèque nationale du Québec, 2005
Bibliothèque et Archives Canada, 2005
Bibliothèque Nationale de France

ISBN : 2-9809028-0-2

1 2 3 4 5 - 05 - 09 08 07 06 05

Imprimé au Canada

La grande tragédie de la vie n'est pas la mort, mais ce qui meurt en nous alors que nous sommes toujours vivants
Norman Cousins

L'important n'est pas de convaincre, mais de donner à réfléchir

Merci à tous ceux et celles qui, de près ou de loin, m'ont permis de renaître...
André

Table des matières

RENAÎTRE PAR LA PASSION DE VIVRE

« C'est à l'instant même où l'on se met à refuser de se renouveler en s'opposant au changement, que l'on commence à mourir. »

Lorsque j'ai entendu cette phrase, j'étais justement sur une pente descendante et en train de m'endormir profondément. Inutile de vous dire que ces mots eurent l'effet d'une bombe dans ce jardin de sérénité que je m'étais affairé à bâtir au fil des années… pour assurer la tranquillité de mes vieux jours. En fait, je réalisais à quel point je m'enlisais dans ma recherche illusoire de sécurité. Je m'ennuyais. Plus le temps passait, plus je ressentais la torpeur de la mort intérieure m'envahir. Et le pire c'est que je ne m'y opposais même plus. J'accueillais plutôt benoîtement cette mort, sans chercher à la combattre. Qu'il est confortable ce nid du statu quo rempli d'habitudes acquises des autres, de principes établis et respectés par tous. En réalité, cette léthargie qui m'enveloppait pourtant de ses ailes rassurantes, renforcée par le refus quasi inconscient du changement, devenait avec le temps un très subtil bourreau qui allait avoir ma peau si je ne réagissais pas tout de suite. Un bourreau qui pouvait me tuer en moins de deux si je le laissais faire.

J'ai alors décidé de me réveiller. Il était grand temps, car je m'engluais déjà dans ces habitudes destructrices de plus en plus profondément ancrées en moi. Je réalisais que la vieillesse – intérieure comme extérieure, entendons-nous bien – n'était tout simplement que l'acceptation de l'« ancien » comme base et règle immuables de vie. La vieillesse chronique dont sont atteints les gens qui sont convaincus de leur inutilité et de leur impuissance à changer les choses, est constamment nourrie par le déni du nouveau jour qui se pointe pourtant le bout du nez à chaque lever de soleil. Elle se traduit en un refus de voir la lumière naissante de l'aube. Le matin, ils tardent à ouvrir les volets de peur de se faire agresser par l'astre du jour qui les obligera à bouger et à créer. Les volets fermés, il est si facile de se rendormir.

À l'opposé de l'ancien et de ses vieux adeptes, se retrouve le « tout neuf », la jeunesse de cœur, grâce à laquelle tout est à découvrir ou à redécouvrir. L'ouverture à la passion de vivre se manifeste par l'étincelle qui se rallume magiquement dans les yeux aussitôt qu'on les ouvre. C'est le *oui* retentissant et sans équivoque qu'on prononce à l'approche d'un défi, faisant fi de la peur qui bien souvent l'accompagne. C'est ça la passion de vivre, dire oui à tout challenge : « j'accepte et je traverse » et cela, sans regarder derrière, sans laisser ralentir nos ardeurs par notre peur de l'inconnu.

Chaque être humain en arrive un jour à devoir décider s'il veut toujours vivre intensément ou s'il préfère plutôt se laisser mourir à petit feu. Si nous vivons dans l'inconscience, l'option « sommeil » sera la plus tentante et nous nous y enliserons sans nous en rendre compte. Ce qui nous amènera lentement vers la mort, pas nécessairement la mort physique, mais celle encore plus destructrice : la perte du plaisir de vivre. Par contre, l'ouverture de la conscience ouvrira la porte à la seconde option, celle de la passion qui se mettra à éveiller nos pulsions créatrices. Celle-ci nous poussera hors du nid, exactement au moment propice, nous prenant souvent par surprise. Elle nous enjoindra à regarder au-delà de notre vie désuète que nous menons comme des automates depuis des années, avec les yeux de notre cœur cette fois, pour voir s'il n'y aurait pas une nouvelle existence qui traînerait quelque part...

Peu importe la voie vers laquelle l'être conscient et éveillé sera entraîné, il ne pourra résister longtemps à la tentation de l'explorer et cela, quel qu'en soit le prix. La passion de vivre n'a effectivement pas de prix. Quand le « nouveau » appelle, il dérange celui qu'il frappe en le propulsant bien malgré lui dans des avenues plus souvent qu'autrement inconnues et insécurisantes. Mais une chose est sûre, l'invitation au nouveau est plus forte que tout. L'être conscient ne pourra longtemps résister à cet appel à l'éveil, même s'il s'avère brutal, un éveil demandé désespérément par son être qui en a ras le bol de voir son corps et son esprit s'endormir et s'éteindre lentement. L'être n'a qu'une priorité : il veut vivre, jouer et expérimenter le plaisir et la joie en tout. Peu importe son âge physique, l'humain se retrouvera un jour ou l'autre devant ce choix crucial : se laisser vieillir et mourir en paix en favorisant l'ancien au nouveau, en optant pour la fade sécurité au détriment de l'aventure et en privilégiant la mort à la vie, ou emprunter le sens inverse et se mettre à rajeunir jusqu'à la renaissance.

Vous devez bien vous douter que lorsque cet appel s'est fait sentir en moi, mon choix a été clair. Je n'ai pas hésité une fraction de seconde à *choisir la vie*. Depuis, tout a changé dans mon existence et chaque jour s'avère un éternel recommencement dans ce sens. J'ai retrouvé instantanément l'étincelle dans mes yeux, ne cessant dès lors de cultiver en moi le goût de la plus merveilleuse aventure qui soit : découvrir et ressentir à chaque instant qui passe que je suis vivant. M'abandonnant au mouvement de la vague, j'ai retrouvé la passion de vivre qui s'était évanouie avec les années. Et maintenant, en plus de l'écrire, je me suis mis à la chanter.

Au fil de ces pages et à l'écoute du CD inclus dans ce livre, je vais vous transmettre du mieux que je le peux cette passion qui m'anime. Vous allez la ressentir profondément si vous ouvrez grand vos bras et votre cœur, si vous écarquillez vos yeux et laissez vos oreilles capter le moindre son qui saura vous captiver. Voici mes textes et mes chansons, comme autant de rayons de soleil pointant dans votre horizon. Laissez-vous atteindre par leur chaleur. Éveillez-vous, levez-vous et ouvrez les volets de vos fenêtres. Laissez-moi vous entraîner vers la passion de vivre.

Pourquoi retrouver sa passion de vivre ?

Jordi Bonnet, un artiste réputé, a un jour été mandaté pour exécuter une murale gigantesque en trois volets de plus de 12 000 pieds carrés sur l'un des murs du Grand Théâtre de Québec. Lorsqu'il dévoila enfin au grand public le fruit de son œuvre, il provoqua un tollé de protestations, un tohu-bohu qui s'atténua heureusement après coup, dès que les gens eurent compris le sens profond d'une phrase qu'il avait inscrite au milieu d'une nuée de corps démembrés : *Vous n'êtes pas tannés de mourir, bande de caves ? C'est assez !* Cette inscription, jugée par les bien-pensants comme scandaleuse, fut reproduite en gros caractères dans tous les journaux. Les commentaires fusèrent de toute part. Cette fresque n'était pourtant qu'un appel retentissant à l'éveil de la masse qui était en train de s'endormir, voire de s'autodétruire. Ces quelques mots de Jordi Bonnet résonnent encore en moi comme un cri effréné à la passion, une invitation ultime au mouvement et à la liberté d'être.

Prenez donc quelques instants de réflexion pour vous demander si vous êtes encore animés par la passion de créer, la passion de vous émerveiller des petites choses de la vie, la passion de bâtir votre présent sur autre chose que des ruines, la passion de découvrir en vous de nouveaux élans, de développer de nouveaux talents. Quand vous vous levez le matin, êtes-vous curieux de ce que vous allez découvrir de merveilleux durant la journée ? À moins que vous vous disiez plutôt : « Encore une longue journée à passer » ! Vous arrive-t-il de temps en temps de lancer un clin d'œil complice au soleil qui se lève à l'horizon ? À moins que vous ne le voyiez tout simplement plus ! Pour certains, la seule consolation matinale est de penser qu'ils se coucheront de nouveau le soir pour récupérer le sommeil perdu. Quel gâchis ! Le matin, vous vient-il des buts précis que vous désirez atteindre dans les 24 prochaines heures, ou n'y a-t-il que le mot « néant » qui clignote au centre de votre cerveau ? Selon les réflexions qu'ont suscitées ces questions, vous avez déjà une bonne idée à savoir si vous êtes un être passionné ou au contraire, un être à l'agonie.

Voici un autre test facile. Allez devant une glace et regardez vos yeux, comme si c'était ceux d'un autre. Si l'étincelle n'y brille plus, c'est que votre vie est devenue pour vous une corvée, un boulet à vos pieds. Si c'est le cas, allez, hop ! Il est grand temps d'y voir, sinon votre prochaine station risque d'être les portes en fer forgé du cimetière le plus près de chez-vous. Et je ne suis pas sûr que c'est ce que vous voulez vraiment...

On dit qu'après la mort, on rejoint dans l'au-delà les esprits qui ont les mêmes affinités que nous. Croyance intéressante si elle en est une. Vous imaginez ? Passer l'éternité endormi, avec des millions de gens tout aussi endormis ! Wow ! Quelle belle perspective d'avenir, n'est-ce pas ? Aussi bien commencer à bailler tout de suite ! Blague à part, si vous constatez que vos yeux sont éteints, il est probablement grand temps de réagir et ce n'est pas le fruit du hasard si ce livre et ce CD sont actuellement entre vos mains. Replacez-vous devant la glace, souriez et ouvrez les yeux si grands que vous aurez l'impression qu'ils veulent sortir de leur orbite. Et constatez déjà le résultat que cet exercice banal a sur la luminosité de votre regard ! Gardez ensuite cette attitude à ouvrir grand les yeux en tout temps. Continuez à regarder les gens et les choses avec cette même intensité et vous les verrez se transformer en même temps que vous.

Ce livre et ce CD sont le résultat de trois ans de dépassement continuel et de découvertes sur moi-même, sur l'être que je suis. Après des années de lecture, de formations de toutes sortes et de démarches spirituelles toutes aussi mentales les unes que les autres, je croyais être arrivé à me connaître à fond. Mais en réalité, je n'avais effleuré qu'en superficie la couche extérieure de ma carapace. Je ne m'étais analysé qu'à travers mes propres masques. Aujourd'hui, ma nouvelle vision globale, « êtrique » – j'entends par ce mot « êtrique » la totalité de tout ce que nous sommes : corps, âme, Esprit, etc. – est le témoin vibrant de la flamme ardente que j'attise chaque jour en moi et autour de moi, chez ceux que je touche par la passion de vivre profondément installée en moi. C'est pourquoi chaque mot que vous lirez, chaque son et mélodie que vous entendrez éveilleront en vous, à votre insu, un petit quelque chose de plus qui sommeillait au tréfonds de votre être.

Les chansons écrites avec amour ont de particulier qu'elles éveillent un sentiment d'amour tout aussi grand chez les gens qui les accueillent. C'est pourquoi certains d'entre vous sentirez parfois monter des émotions : une boule dans la gorge, un souvenir très clair de cette vie ou même d'une incarnation passée, une situation qui vous a apparemment empêché d'avancer, une haine non réglée, un amour trop attachant, etc. Ne vous battez pas. Laissez remonter à la surface ces trésors enfouis – car ce sont bel et bien des trésors malgré leur apparence trompeuse – sans essayer de les comprendre, encore moins de les analyser ou pire encore, de les bloquer. Le CD *Passion de vivre* engendre très souvent un grand ménage intérieur chez les gens qui prennent le temps de s'en laisser imprégner. Je rigole parfois en disant que « ce disque vient avec, en prime, un immense balai magique invisible qui nettoiera les vieilles poussières enfouies dans les plus petits recoins de votre maison ». À votre insu, le ménage du printemps se fera, sans souffrance ni cris. Étant moi-même devenu avec le temps un fervent disciple de la douceur, je ne peux que générer les mêmes sentiments chez mes lecteurs et auditeurs.

Ce livre et ce CD permettront également à l'adulte et à l'enfant en vous de se fondre l'un dans l'autre, le temps de renouer les liens, de commencer à s'apprivoiser et d'apprendre à travailler ensemble au lieu de se chamailler continuellement. Saviez-vous que la sagesse consiste à maîtriser ces deux côtés de nous et à les utiliser pour faciliter nos décisions et motiver nos actions ? Les véritables grands sages ont en commun qu'ils agissent la plupart du temps comme des adolescents en pleine crise de croissance, au grand désarroi de leur entourage qui ne sait évidemment jamais où donner de la tête. Mais par contre, lorsqu'ils ont besoin de leur côté adulte pour exprimer leur sagesse, ils s'arrêtent, vous regardent droit dans les yeux, prononcent des paroles justes dont vous avez besoin dans le moment présent. Après quoi, l'adulte se retire et l'enfant se remet à jouer.

Développer sa passion de vivre, c'est donc, tout d'abord, redécouvrir l'enfant en soi et dans bien des cas, lui réapprendre à s'amuser en tout. C'est ensuite permettre à l'adulte de se manifester quand il le faut, juste assez longtemps pour laisser sa sagesse faire son œuvre. Ce mélange « enfant adulte » est un excellent barème par lequel nous pouvons détecter si une personne qui se targue de posséder la vérité ou la sagesse dit vrai ou fait semblant. Si elle ne possède pas la maîtrise de ces deux états d'être, si elle n'est animée que par l'un au détriment de l'autre, par un côté enfant constant ou un adulte sérieux à s'en pourfendre l'âme, il y a de fortes chances que la sagesse n'y ait probablement pas encore fait entièrement son nid. Mais encore cela n'est-il qu'un jugement dont il faut aussi se méfier…

La passion de vivre naît très souvent d'une furtive graine semée en soi par notre être profond à un moment précis de notre vie, suite à un événement difficile ou paradoxalement, à un événement heureux. C'est comme si notre être profitait de notre vulnérabilité émotionnelle du moment, négative ou positive, pour insérer en nous une semence de vie nouvelle alors que nous échappons à la diligence de notre mental. Même si ce n'est pas toujours le cas, la souffrance semble pourtant et malheureusement être une occasion parfaite pour que ce genre de semailles êtriques, pourrions-nous dire, s'opère ! Force est de constater en effet qu'elles se font, pour la plupart des gens, à la suite d'une période de douleur intense, de peine, de dépression, de léthargie, alors que les défenses sont pratiquement inexistantes. Après des décennies de sommeil intérieur de plus en plus profond, un événement provoquera l'éveil. Si le coup réussit, la passion renaîtra. Sinon, nous risquons de nous enfoncer encore plus dans un sommeil gluant et morne.

Mais, me direz-vous, est-il possible de s'éveiller sans que notre être doive toujours avoir recours à un événement tragique pour semer en nous la passion ? Bien sûr que cela est possible, à condition toutefois de demeurer vigilant et de prendre les devants maintenant. C'est d'ailleurs probablement pour cette raison que vous lisez ces lignes. Si vous pensez que vous vous éteignez peu à peu depuis un certain temps, si vous constatez l'effritement de vos rêves, la mise au rancart de vos projets, de vos fantasmes, eh bien, n'attendez pas que la vie vous fasse passer par un tout petit trou de souris avant de réagir. Pendant que vous le pouvez encore, empruntez plutôt la grande porte qui s'offre à vous. Vous savez, le seul fait d'avoir l'humilité et la sagesse de reconnaître son état de sommeil, allié à un profond désir d'action, est suffisant pour faire naître en nous la passion qui rallumera illico notre feu intérieur. Cet éveil à la passion de vivre se manifestera pour certains d'entre nous par l'apparition soudaine d'un talent enfoui qui fera tout à coup surface sans crier gare. Certains peuvent, par exemple, ressentir un insatiable goût de faire quelque chose qu'ils n'ont jamais fait, mais dont ils ont toujours rêvé : une envie folle de peindre, d'écrire, de danser, vous savez ce genre de choses qui se manifestent à l'improviste et nous propulsent sans qu'on ne puisse rien faire. Chacun d'entre nous possède des aptitudes non exploitées, des aptitudes qui ont été pour la plupart reléguées aux oubliettes à cause du manque de temps ou de confiance en soi.

Par exemple, combien de poètes en herbe ont-ils vu leur talent occulté durant leur jeunesse, surtout chez les garçons, alors que leur père les forçait à pratiquer des sports de « vrais hommes » au lieu de s'adonner à l'écriture ? Combien de peintres dans l'âme ont-ils enfouis au creux de leur jardin secret leur passion pour la peinture à force de se faire dire qu'ils n'étaient bons à rien, surtout pas à dessiner ? Combien d'écrivains potentiels ont-ils laissé s'éteindre leur talent alors qu'ils se sont sentis jugés par un professeur de français dogmatique ou un peu trop zélé qui passait son temps à leur reprocher leurs fautes d'orthographe ou leur façon d'écrire non conventionnelle au lieu de reconnaître leur véritable génie ? C'est ce qui est arrivé à une de mes amies qui, dans sa jeunesse, avait remis avec fierté son devoir de français à son enseignante. Cette dernière eut alors l'indélicatesse de lire son travail devant toute la classe, en prenant soin de souligner toutes les erreurs qui s'y étaient glissées. « Voilà ce qu'il ne faut pas faire » avait conclu ce professeur, ignorant la portée de son geste. Depuis ce jour, mon amie n'a jamais osé écrire plus que quelques mots à la fois, de peur de se faire juger par ses pairs, convaincue qu'elle était nulle en français. Eh bien ! croyez-le ou non, le seul fait de prendre conscience que son problème de manque de confiance était simplement issu de cet évènement, un écho de la frustration du professeur en question, fit que mon amie s'est remise à l'écriture et compose maintenant de très jolis poèmes.

Vous est-il déjà arrivé de vous dire quelque chose comme : « Je sais au plus profond de moi qu'un jour je ferai de la peinture, ou que j'écrirai un livre, ou que je sculpterai, etc. mais je n'en ai pas eu vraiment le temps jusqu'ici » ? Si tel est le cas, pourquoi n'oseriez-vous pas aujourd'hui même mettre des choses en marche pour réaliser votre rêve ? Pas demain, aujourd'hui. Comme le dit la célèbre expression anglaise : *Just do it now* (faites-le maintenant).

Une dame vint un jour me voir après un concert conférence que j'avais donné. Elle m'avoua candidement qu'elle avait toujours rêvé d'apprendre la guitare mais n'avait jamais osé ni trouvé le temps de le faire. Après avoir entendu mon témoignage – que je vous raconterai tout de suite après – elle me promit de se rendre dès le lendemain au magasin de musique pour s'acheter une guitare et de commencer des cours durant la semaine qui allait suivre. Après avoir vu l'étincelle dans ses yeux, je suis tout à fait sûr qu'elle a tenu promesse. Cette dame a simplement osé laisser monter en elle ce talent refoulé et reconnaître cette passion pour quelque chose de nouveau. Chacun de nous possède une ardeur latente. Pourquoi latente ? Quand on est entouré de gens endormis, le sommeil nous gagne aussi et, en même temps, notre passion de vivre s'amenuise. Il devient alors très difficile de se garder éveillé.

Un des buts poursuivis par ce livre et ce CD est d'éveiller en vous le talent qui sommeille, l'idée, le petit quelque chose de plus qui rallumera l'étincelle dans vos yeux et qui vous donnera l'envie de vous lever plus tôt le matin pour faire quelque chose de nouveau et de différent des autres, l'ardent désir de vous dépasser. Ouvrez-moi momentanément la porte de votre jardin secret pour que je puisse y semer quelques graines de passion de vivre. Juste quelques-unes, le temps de vous imprégner de leur vivacité, de les faire germer et de les voir pousser par la suite.

Histoire de passion... en Inde

Depuis aussi longtemps que je me souvienne, j'ai toujours eu la profonde conviction que j'allais un jour écrire des chansons. Que je les interprète, ça c'était moins sûr ! Évidemment, comme tout bon saboteur de bonheur que j'étais, je ne me trouvais pas le talent nécessaire pour réaliser ce rêve. Malgré tout, il était constamment présent au fond de mon jardin secret. Je me rappelle comme si c'était hier avoir un jour osé écrire une chanson intitulée *Un vieux sage m'a dit...* et l'avoir envoyé à une très grande chanteuse québécoise, Ginette Reno. À ma grande surprise, je reçus quelques mois plus tard une lettre de son agent me disant de façon très polie que c'était bien, mais que la madame Reno n'en avait pas besoin pour l'instant, rah rah rah... En d'autres mots, que c'était pourri et sans intérêt – ce fut mon interprétation défaitiste. Faut dire qu'à cette époque, je n'étais pas prêt à assumer une telle chose et mon indécision a mis suffisamment de sable dans l'engrenage pour bloquer le mécanisme. Heureusement d'ailleurs. Je peux m'en rendre compte aujourd'hui.

C'est durant mon premier voyage en Inde où j'agissais en tant qu'accompagnateur de groupe, que mon être profond décida qu'il était temps de procéder aux semailles de ma vie nouvelle. L'Inde sacrée a ce don de nous retourner comme un gant et de nous couper de nos racines aussitôt qu'on en foule le sol. « Profitons de l'instabilité et de la vulnérabilité de notre petit André, a probablement dit mon être profond. Quand il est déstabilisé, il s'ouvre plus facilement à tout. »

Mais commençons par le commencement. Dès ma sortie de l'avion à l'aéroport de New Delhi, je réalisai en remplissant mes poumons d'une pleine bouffée de cet air pollué qui caractérise malheureusement la plupart des grandes villes indiennes, que je n'étais pas en train de mettre les pieds sur le sol d'un nouveau pays, mais sur la surface d'une autre... planète. En effet, je débarquais en Inde, désabusé de la vie, engourdi certes par les vapeurs du décalage horaire, mais surtout par les croyances et préjugés cultivés en moi depuis des décennies envers cette étrange terre de fous de près d'un milliard d'habitants. Faut dire qu'en plus, je m'étais bien programmé à ce que l'Inde ne change rien en moi. Chez les autres voyageurs, oui, assurément, ils étaient venus pour changer leur vie. Mais pas moi ! Si vous saviez comme je me leurrais.

J'avais donc été mandaté par *Les routes du monde* pour accompagner « spirituellement » – hum ! ça paraît bien – avec mon amie Johanne Lazure, un groupe de voyageurs en Inde du nord, tous des gens à la recherche d'aventure et de spiritualité. Moi qui de plus n'étais jamais allé de ce côté du globe. Quel guide j'allais faire, moi qui ne connaissais même pas mon terrain de travail. Enfin ! Ça promettait ! Par contre, ces gens avaient tous comme moi senti un jour le besoin – ou l'appel – de se rendre en Inde dans le but inavoué de se rapprocher d'eux-mêmes. Quel paradoxe, quand on y pense ! Mon rôle consistait donc à les aider à garder les deux pieds bien ancrés sur terre pour éviter qu'ils se laissent un peu trop emporter par les volutes d'encens de l'Inde et qu'ils s'envolent trop haut. Notre expérience indienne avait pour but de nous ramener vers soi, pas de nous extirper de notre réalité et nous propulser vers des lieux encore plus vaporeux. J'arrivais donc sur la fascinante planète *India* avec mes nouveaux amis. J'étais rempli de bonne volonté, mais je ne me doutais pas un seul instant que c'était moi qui allais être l'un des premiers à voir sa vie personnelle et professionnelle chamboulée du tout au tout – positivement, entendons-nous. En effet, à partir de ce moment, rien ne fut pareil dans mon existence.

Au fil des heures et à mon insu, il va sans dire, l'Inde réveillait en moi une passion de vivre que je ne me connaissais pas. L'intensité qui se dégageait de son sol, la vivacité de ses habitants et leurs drôles de mœurs, eurent tôt fait de me faire sortir abruptement du sommeil profond dans lequel je m'étais engouffré depuis les dernières années. À l'instar de la plupart des voyageurs de ce groupe, j'avais vivement l'impression que je revenais chez-moi. Par le fait même, ce sentiment bizarre de *déjà vu* et de *déjà vécu* redonna force à mes racines qui commençaient – je m'en aperçois aujourd'hui – à s'atrophier à force de les ignorer. Au cours des jours qui suivirent, je sentis un flot de nouvelle sève remonter en moi, un flot

assorti de tous les bouleversements et peurs qui accompagnent habituellement ces raz de marée. Mon mental me rassura. Il mit cet état d'excita-
tion incontrôlé sur le dos du décalage horaire, mais contrairement à l'effet
de ce dernier, l'état extatique lui ne s'atténua pas. Au contraire, il ne fit
que s'accentuer de jour en jour. Tout mon corps vibrait comme il ne l'avait
jamais fait auparavant. Mon esprit était alerte et tous mes sens étaient
aiguisés à l'extrême. C'est alors que mon talent de compositeur interprète, profondément enfoui sous mes multiples couches de non-confiance,
sortit enfin de l'ombre comme une marmotte à l'apparition des premiers
rayons du printemps et remonta à la surface. Je venais de découvrir MA
passion : la musique et la chanson à textes.

**Faut-il tous se rendre en Inde pour redécouvrir qui l'on est, voir
émerger en soi une nouvelle passion et entreprendre une nouvelle
vie ?**

Bien sûr que non. Dans mon cas, l'Inde sacrée et l'énergie qu'elle
dégage ont été effectivement un élément déclencheur, l'« évènement-
semence », si vous me permettez un beau grand mot savant, composé en
plus... Mais pour tous et chacun, l'éveil pourra se faire différemment. Dans
cette optique, la lecture de ce livre et l'écoute du CD de chansons *Passion de vivre* vous serviront peut-être d'élément déclencheur pour que ce
que vous cherchez depuis longtemps... vous trouve enfin. Ne faisons surtout pas l'erreur d'attendre qu'un événement extérieur nous propulse dans
notre futur. Ce faisant, nous ne ferions que nous éloigner davantage de
notre but et, par conséquent, de nous-mêmes. L'espoir n'est-il pas un
puissant mais très subtil rappel de nos manques ? Restons simplement à
l'affût du signal de départ qui nous sera donné à l'improviste dès que
nous serons prêts pour l'aventure. Et lorsque ce signal retentira en nous,
il ne restera qu'à... partir !

Tout ce qui a pour effet d'élever notre taux vibratoire et nous extirper de nos défenses mentales, dans la joie comme dans la souffrance –
car la souffrance peut aussi avoir un effet salvateur, surtout si on y croit –

pourra déclencher l'avènement d'une nouvelle vie, d'une nouvelle passion en nous. Je suis par contre partisan de la joie de vivre. Il est temps de cesser de mettre la souffrance aux premières loges de l'éveil. Un grand amour peut très bien opérer le travail de propulsion. D'ailleurs, le sentiment amoureux n'est-il pas la plus grande passion de toutes ? Certains rétorqueront qu'elle ne dure pas, qu'elle est fugace et annonciatrice de déception. C'est vrai pour certains, mais il ne faut pas généraliser non plus, car pour d'autres, la passion initiale se transformera en quelque chose d'encore plus fort et stable. En effet, la force engendrée par la passion ne meurt pas. Au contraire, si elle est bien gérée, elle pourra même se raffiner avec le temps et devenir une base solide permettant d'avoir accès à un autre palier de vie.

La passion de vivre n'est pas une inconnue pour notre être. Elle est venue au monde avec nous, il ne faut jamais l'oublier. Si nous ne l'avions pas eu tout au fond de notre âme, nous ne nous serions sûrement pas incarnés sur Terre pour nous lancer tête baissée dans une telle aventure, la plus grande qui soit : l'aventure humaine. Pour capter l'intensité de cette force originelle que nous portons – car contrairement à ce qu'on a tenté de nous faire croire, nous ne sommes pas nés avec un péché originel, mais plutôt dotés d'une puissance extraordinaire – il suffit de regarder les yeux d'un nouveau-né qui vient de quitter le monde des anges pour entreprendre l'une des plus riches expériences de sa Vie avec un grand V. Cette étincelle dans le regard, vous l'avez déjà eue et elle s'y trouve encore. À vous de la redécouvrir…

Photo: Bruno Beauregard

Temple du Monastère de Menri, Inde.

RENAÎTRE À L'AMOUR

« Te rends-tu compte combien il t'aime »

L'amour n'est-il pas ce que nous recherchons le plus toute notre vie durant ? N'est-ce pas d'ailleurs notre unique raison de vivre ? Le problème avec cette quête existentielle, c'est que nous avons la fâcheuse habitude de rechercher cet amour bien loin et à l'extérieur de nous. Bien peu de gens, hélas, regardent au bon endroit. Souvent ils sont déjà entourés d'amour, ils baignent dedans, mais cet amour est si près d'eux qu'ils ne peuvent le voir. Lorsqu'on a le nez collé sur l'écorce d'un arbre, il est difficile, voire impossible, de contempler la forêt qui se cache derrière. Cet amour tant recherché se retrouve souvent chez les êtres avec qui on partage notre quotidien, des voisins, des amis, des compagnons de travail, des animaux de compagnie (eh oui ! même ça, c'est de l'amour).

La première chanson de mon CD *Passion de vivre*, intitulée *Te rends-tu compte combien il t'aime*, est l'exemple même d'un amour si près de soi qu'on a peine à le voir tant il est grand. Cette ode à l'amour m'a été inspirée par un fait vécu. Laissez-moi vous en expliquer le contexte…

Retrouvons-nous dans le Nord de l'Inde, à Rishikesh, par un beau jour ensoleillé d'octobre. Dans le groupe que j'accompagne à la découverte de l'Inde sacrée se trouve un couple de jeunes gens, Chantal et Guy, que je connais depuis plusieurs années et avec qui j'ai développé une superbe complicité, un lien d'amitié sincère. En effet, la jeunesse, la vitalité et l'ouverture d'esprit de ces grands enfants m'ont toujours fasciné, et continuent d'ailleurs à le faire. Par un de ces matins brumeux qui caractérise les levers du jour en Inde, Chantal vient me voir, l'air hagard, le regard perdu et les yeux humides. Elle a dû pleurer. Elle m'avoue alors sans pudeur qu'elle se questionne sur sa relation avec Guy et se demande vraiment s'il l'aime encore après sept ans de vie commune.

« Mais, répliquais-je avec étonnement, comment peux-tu douter un seul instant de l'amour de Guy pour toi ? Tu es aveugle ou quoi ? Cette étincelle qui scintille dans ses yeux quand il te regarde, tu ne la vois pas ?

– Euh ! balbutia-t-elle, surprise par ma réaction spontanée et mon air ahuri, je ne sais plus trop ! À bien y penser, je m'y suis peut-être habituée. Mais je me questionne quand même. »

Et elle resta là, songeuse.

Comme je suis très proche de Guy, je sais pertinemment qu'il est encore amoureux fou de Chantal. Quand elle passe devant lui, ses yeux ne cessent de la scruter à la loupe. Le moindre de ses déhanchements le transporte dans un monde de sensualité qui l'enveloppe et se propage autour de lui à son insu. Pour bien vous expliquer cette fascination qu'il a pour Chantal, permettez-moi de vous raconter une drôle d'anecdote...

Lorsqu'on voyage en Inde, nous avons évidemment à faire plusieurs heures de bus pour nous rendre d'une ville à l'autre. Étant donné que les routes sont étroites, très peu entretenues et encombrées de véhicules hétéroclites, piétons, rikshas, taxis, touk-touk, sans oublier les fameuses vaches sacrées qui sont reines et maîtres en ce pays, ça prend une éternité pour franchir ne serait-ce que quelques dizaines de kilomètres. Comme les arrêts pipi sont fréquents et que les toilettes indiennes sont toutes aussi rares que propres, on n'a souvent pas d'autre choix que d'arrêter le bus sur le côté de la route et laisser les gens se soulager dans la nature. Comme la plupart des femmes du groupe, Chantal a besoin d'une certaine intimité pour s'exécuter et demande à Guy, une fois accroupie, de tenir un long sari autour d'elle, pour la cacher des regards indiscrets. Eh bien ! Croyez-le ou non, au lieu de s'efforcer de faire son travail minutieusement, vous savez ce que fait notre compère ? Il ne cherche qu'à regarder je ne sais quoi... derrière le tissu de soie ! Vous imaginez la scène ? Après sept ans de vie commune, il trouve encore un plaisir fou à voir Chantal faire son... pipi !

En ce matin chaud et humide, je regardai Chantal et lui racontai en riant cette anecdote. Elle repartit en rougissant, apaisée mais toujours songeuse. Il suffit parfois de bien peu de choses, comme le dit la chanson. De retour dans le bus, à une température qui devait frôler les quarante degrés Celsius, j'eus alors une forte intuition. Une voix intérieure me cria de prendre immédiatement un crayon et du papier et d'écrire un texte pour ces amoureux. Devant ce genre d'ultimatum de mon Esprit, j'ai appris à m'exécuter rapidement. Les mots se mirent à sortir spontanément de ma plume comme s'ils y étaient poussés par une force invisible, comme si un ange au-dessus de ma tête me soufflait ce que je devais écrire. Ce n'est que plusieurs heures plus tard, rendu à l'hôtel, que je pris ma vieille guitare que j'avais apportée avec moi pour la laisser ensuite en Inde. Par le même processus, disons angélique pour faire plus poétique…, la mélodie devant accompagner le texte écrit pour mes amoureux entra en moi et passa par mes doigts, de la même façon que l'avaient fait les mots dans le bus. La graine avait été semée en moi par Chantal qui m'avait fait part de ses questionnements existentiels et j'ai eu la vivacité d'esprit de l'arroser tout à trac. Sinon, elle aurait séché et pourri dans une terre aride comme dans bien des cas où l'on a une intuition et qu'on ne la suit pas.

Cet événement plutôt banal, vous me direz, changea pourtant le cours de ma vie car, sans le savoir, je venais d'écrire ma première chanson. Une chanson qui servit de prélude à toutes les autres qui allaient suivre durant les mois à venir et se retrouver sur mon premier CD de musique. Qui l'eût cru ? Pour écrire cette ode à l'amour, je me mis donc dans la peau de ce couple merveilleux et, durant qu'ils dormaient enlacés sur le banc arrière du bus transformé en four, voici donc les mots qui s'élevèrent comme par miracle à ma conscience.

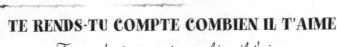

TE RENDS-TU COMPTE COMBIEN IL T'AIME

Te rends-tu compte combien il t'aime
Cet homme-enfant aux yeux si clairs
Te rends-tu compte combien il t'aime
Quand ton souffle devient son air

Quand tu te déhanches devant lui, il perd toute notion du temps
Devient ton ombre et puis te suit, se fond dans tous tes mouvements
Chaque fois que tu te déshabilles, il sort de sa réalité
Si tu voyais ses yeux qui brillent, devant les trésors retrouvés

Te rends-tu compte... Même après toutes ces années
Te rends-tu compte... Regarde l'enfant s'émerveiller

Si sous ses yeux tu te balances, d'un coup d'aile se met à voyager
Et sur les courbes de tes hanches, sa route semble se tracer
Lorsqu'à l'aube tu te réveilles, ça fait longtemps qu'il te regarde
Ces yeux sont comme mille soleils, dont les rayons sur toi s'attardent

Te rends-tu compte... Regarde ses yeux ébahis
Te rends-tu compte... Pour toi il donnerait sa vie

Un bout de sein le fait frémir et le propulse au paradis
Et le moindre de tes sourires souffle sur ses nuages gris
Lorsqu'il passe ses mains sur toi, si tu le voyais s'épanouir
C'est Dieu qui coule par ses doigts, Dieu de l'Amour, Dieu du désir

Te rends-tu compte... Même s'il ne sait jamais le dire
Te rends-tu compte... Tendresse d'homme ne peut mentir

Si tu voyais tout ce qui coule de son regard quand il t'enveloppe
Lorsqu'autour de lui tu t'enroules et que tu lui ouvres ta porte
Tu es son ange, tu es sa muse, tu es le bulbe de ses pensées
Grâce à toi son enfant s'amuse, ne cessant de s'émerveiller

Te rends-tu compte... Allez jouer comme des enfants
Te rends-tu compte... Laissez-vous pousser par le vent

Ce vent d'amour qui te transforme à ses yeux comme un bout de soie
Moulant chacune de tes formes, au gré des fantasmes d'un roi
Sais-tu qu'il peut te faire l'amour, simplement à te regarder
Simplement à te faire la cour, couvrir ton corps de ses baisers

Te rends-tu compte... Il est grand temps de t'éveiller
Te rends-tu compte... Ne laisse pas la fleur se refermer

Tu es son ciel bleu sans nuage, son firmament rempli d'étoiles
Un livre ouvert aux mille pages, du peintre la plus belle toile
Comprendras-tu enfin qu'il t'aime, qu'il reçoit tant à te donner
À la fois le fruit et la graine, vois en lui ta propre beauté

Te rends-tu compte... Cet homme-enfant aux yeux si clairs
Te rends-tu compte... Quand ton souffle devient son air

Y-a-t-il quelque part quelqu'un qui m'aime ? Sniff ! Sniff !

On se pose tous cette question de temps en temps, n'est-ce pas ? Mais, si nous ne voyons pas cet amour, c'est peut-être qu'il est trop près de nous. J'entends plusieurs d'entre vous me répondre que ce n'est sûrement pas leur cas, que personne ne les aime, qu'ils sont seuls, sans intérêt pour quiconque, etc. C'est bien là le langage de la victime, pas celui du passionné de vie. Pensons-y bien avant de nous juger comme des êtres dénués d'amour des autres. N'y a-t-il personne dans votre entourage dont l'étincelle s'anime dans les yeux en votre présence ou qui sourit en vous voyant ? Cherchez un peu et vous trouverez. C'est primordial.

Il s'avère très difficile, voire impossible, de retrouver sa passion de vivre si nous nions constamment notre capacité d'aimer et d'être aimé. La passion, quelle qu'elle soit, attise l'amour de soi. Si un jour vous pouvez affirmer envers et contre tous, sans craindre le jugement et sans rougir : *Te rends-tu compte combien je* **M'***aime*, alors la partie sera presque gagnée et une autre débutera à l'instant. Elle consistera à maintenir cette estime de soi bien vivante en tout.

JE VEUX UN MIRACLE

Je veux un miracle… Réunir nos réalités
Je veux un miracle… Un amour enrichi d'amitié

L'amitié que notre tête essaie en vain de tuer
Des pensées qui s'entêtent à faire de nous des guerriers

Je veux un miracle… Pour nous redonner la liberté
Je veux un miracle… Issu de notre complicité

Au-delà de la morale, de tout ce qu'on nous a enseigné
De tout ce que l'on a cru mal, serait-ce là notre porte d'entrée

Je veux un miracle… Pour sauver ce que l'on est vraiment
Je veux un miracle… Pour en ressortir tous les deux plus grands

Pour unir nos deux forces, cesser d'être des combattants
Laisser entrer l'amour à grandes portes, ignorer tous nos jugements

Je veux un miracle… Dieu ! Je te mets au défi
Je veux un miracle… Pourquoi notre route s'arrêterait ici

Repartir sur d'autres bases, avec respect mais sans attachement
Remettre les fleurs dans un nouveau vase, les arroser de notre présent

Je veux un miracle… Chassant les ombres du passé
Je veux un miracle… Qui saura nous élever

Transformer nos silences en moments d'éternité
Enrichis de nos deux présences, que l'on cesse de s'apitoyer

Je veux un miracle… Qui nous donnera la liberté
Je veux un miracle… Qui nous fera tous les deux gagner

Pouvoir te dire que je t'aime, et que tu puisses le dire aussi
Avoir autant d'amour pour soi-même, qu'on en a pour autrui

Je veux un miracle… Je sais qu'il est déjà réalisé
Merci et que ce miracle… Se nomme liberté

L'AMOUR ET L'AMITIÉ...
c'est possible ?

Croyez-vous aux miracles ? Personnellement, je vous dirais sans la moindre hésitation que oui. Le mot *impossible* est un terme que je m'efforce de ne pas employer, même si ma tête sort à chaque occasion son artillerie lourde d'argumentations pour que je ne me laisse pas prendre par ces balivernes, des phrases comme : « Il existe toujours une explication scientifique » ou « cesse de te faire des idées ».

Je me permets d'y croire depuis que j'ai lu cette phrase superbe : *Les miracles ne sont qu'un manque de connaissance.* En effet, n'est-ce pas en démystifiant l'inconnu qu'on a le plus de chances d'estomper nos limites ? Est-ce que nos grands-parents auraient pu imaginer un seul instant qu'on pourrait un jour communiquer avec le monde entier en appuyant simplement sur une petite touche de clavier ? Cette seule pensée aurait tenu du miracle pour eux, une pensée fantaisiste digne des films de fiction. Pourtant, aujourd'hui, avec l'arrivée de l'Internet, ce miracle fait partie du quotidien.

Un autre exemple. Il y a à peine cent ans, les gens atteints de cancer mouraient pratiquement tous, tandis qu'en ce début de siècle, les guérisons de cette maladie se multiplient. De plus en plus de patients diagnostiqués cancéreux s'en sortent par l'intervention des différentes médecines, traditionnelles comme alternatives, ou tout simplement en faisant une prise de conscience ou un virage important dans leur vie. « Cela tient du miracle », se seraient exclamés nos centenaires. Les miracles existent, il faut juste y croire et leur permettre de se manifester dans notre vie en ne les court-circuitant pas par nos doutes, nos commentaires de dérision ou notre indifférence. La prochaine chanson, intitulée *Je veux un miracle,* en témoigne. Tout d'abord, une petite anecdote... miraculeuse !

Quelques semaines après mon premier périple Indien, je me retrouvais en Belgique où je me préparais à amorcer une tournée de conférences. À cette époque, je me retrouvais dans un cul-de-sac relationnel avec une personne que j'aimais beaucoup. Mes idées se brouillaient dans ma tête et je ne pouvais même pas penser trouver à court ou à long terme l'ombre d'une solution au conflit qui semblait prendre de jour en jour une ampleur toute aussi démesurée qu'inattendue. Un bon matin, pensif et désabusé, je traînais dans mon lit. Je m'écriai désespérément : « Je veux un miracle ». Ce cri éveilla même le couple qui m'hébergeait dans leur maison. Partiellement soulagé par ce cri, disons primal, je descendis à l'étage prendre le petit-déjeuner. Entre deux gorgées de café, crayon en main, je commençai à écrire sur une feuille de papier qui traînait par là, quelle sorte de miracle j'espérais qu'il se produise. Lorsque j'écrivis la phrase magique « je veux un miracle », une chose incroyable arriva : le miracle sortit de la salle de bain…

Quoi ? Vous voulez des explications ? D'accord !

En fait, ce miracle avait pour nom Nathalie, la copine de mon organisateur. Comme par… hasard, au moment précis où j'écrivis « je veux un miracle », elle sortit de sa douche et vint dans la cuisine. Voyant ma mine déconfite, elle me demanda ce qui n'allait pas. Je lui expliquai de long en large ce qui me tracassait et, en quelques mots, elle me proféra des paroles qui opérèrent en moi le miracle tant attendu. Elle m'expliqua ce que je vivais et me prodigua de sages recommandations pour régler le dilemme en question. Je suivis donc ses conseils et tout se régla, je vous dirais, de façon miraculeuse.

Vous rétorquerez : « ce n'était que ça ton miracle ? » On a souvent l'impression que les miracles doivent être spectaculaires pour être authentiques. Mais rien n'est plus faux. Combien de gens demandent des miracles, mais ne savent pas les reconnaître quand ils se présentent à leur porte ? Innocemment, ils attendent béatement l'apparition d'un ange annonciateur ou d'un messie sauveur porteur de message. Quand le miracle se manifeste, la plupart du temps de façon très subtile et en plein cœur du quotidien, ils ne savent le reconnaître et passent à côté. Ils ratent le coche.

Vous avez peut-être déjà entendu l'histoire de cet homme très pieux dont le bateau avait chaviré en pleine mer. À bout de souffle, accroché à l'épave, il priait désespérément Dieu de le sortir de cette mauvaise position et de le sauver miraculeusement. Sa foi sans faille l'assurait que Dieu lui-même allait venir le chercher. Dieu entendit donc ses ferventes prières et envoya du tac au tac à sa rescousse trois bateaux qui naviguaient à proximité. Mais le saint homme les renvoya l'un après l'autre, arguant que c'était Dieu qui allait venir le sauver. Ce dernier, ayant d'autres chats à fouetter, se lassa des refus de cet hurluberlu de saint et le laissa se noyer puisqu'il ne voulait pas reconnaître les trois messagers qu'il lui avait pourtant envoyés.

Voyons donc ce que cette chanson *Je veux un miracle* a à nous dire sur le pont qui peut être bâti entre l'amour et l'amitié.

Je veux un miracle, réunir nos réalités

Chaque être humain possède et chemine dans sa propre réalité, une réalité différente de toutes les autres, bâtie au fil des années par ses croyances, ses préjugés, son éducation, sa religion etc. Lorsque nous portons un jugement sur quelqu'un ou sur quelque chose, c'est que nous comparons notre réalité à une autre. La plupart du temps, notre ignorance fera en sorte que nous croirons dur comme fer que notre réalité est LA réalité. Alors, tout ce qui différera de notre vision des choses sera considéré par notre mental comme étant erroné. Suivant ce raisonnement, on peut donc dire que tout jugement prend naissance dans notre obstination à ignorer la réalité des autres, différente de la nôtre.

Les sages dignes de ce nom connaissent très bien ce phénomène des réalités qui s'entrecroisent constamment. C'est pourquoi ils peuvent avoir des idées bien arrêtées sur certains sujets, mais ils éviteront les jugements de valeur et ne condamneront jamais ceux qui ne pensent pas comme eux, même leurs plus fervents disciples. La vision élargie à 360 degrés qui caractérise ces maîtres fait que leur réalité universelle englobe toutes les autres. Leur passion pour la vérité cosmique se traduira par une écoute totale et une compréhension neutre, globale et dénuée de tout jugement, sur tous les événements et sur tous les gens de cette planète.

Sachant pertinemment que notre réalité diffère en tout ou en partie de celle des autres, nous ne pouvons dès lors blâmer, encore moins juger, quiconque fait les choses différemment de nous. Certes, on peut dès lors constater que quelqu'un n'agit pas selon nos critères de base ni selon nos programmes. Qu'une action qu'il a posée puisse nous paraître injuste ou mauvaise – selon nos normes – mais qu'elle puisse également être pour lui empreinte de justice et de bonté.

Réunir nos réalités, c'est ouvrir notre conscience à l'universalité, rétablir un contact authentique avec les autres, avec nos proches dans un premier temps, ensuite avec les autres, tout ça sur une base empreinte de non-jugement. C'est également d'accepter qu'une personne puisse avoir une opinion qui soit aux antipodes de la nôtre mais, en même temps, avoir entièrement raison, dans SA réalité. En regardant les choses sous cet angle, on ne peut alors que s'enrichir de tout contact avec les autres.

Ne pourrait-on pas dire alors que si deux êtres vivant un conflit savent développer la maturité nécessaire pour réunir leurs réalités et s'enrichir mutuellement de ce qu'ils sont, au lieu de se noyer dans une bataille idéologique sans fin, on pourrait alors crier au miracle ?

Je veux un miracle, un amour enrichi d'amitié

Est-ce que l'amitié vient avant ou après l'amour ? Ou bien peuvent-ils cohabiter ? Lorsque l'obligation d'aimer l'autre *pour toujours et à tout prix, pour le meilleur et pour le pire*, est imposé par la signature des partis impliqués au bas d'un contrat, cela peut-il nuire ou pire, détruire un lien d'amitié naissant qui devrait plutôt être un des buts ultimes à toute relation ?

Il est indéniable que l'amitié véritable aura toujours comme effet d'enrichir tout ce qu'il touche, en particulier l'amour entre les êtres. L'obligation de s'aimer coûte que coûte ouvre parfois toute grande la porte au mensonge et à la tricherie, amenant des gens qui s'aiment pourtant profondément à éviter de se dire les vraies choses, à faire transparaître ce qu'ils ressentent dans le moment présent, de peur de blesser l'autre et de créer une brèche dans leur contrat. Lorsque deux amoureux en viennent à devenir d'aussi grands amis qu'amants, ils foulent dès lors les premières marches de ce que certains appellent le palier de l'amour inconditionnel. À ces gens, je décerne la médaille d'or !

Combien de personnes peuvent se confier sans pudeur à leur conjoint au même titre qu'elles le feraient avec leur meilleur ami, sans que l'autre ne se sente attaqué et se mette sur la défensive ? Comment peut-on réussir à dire à l'être qu'on aime, sans attirer les foudres du jugement, qu'il nous arrive d'avoir des fantasmes ou des désirs pour une autre personne ? Étouffer l'expression de nos désirs profonds n'est-il pas le plus grand mensonge, celui qu'on essaie de se faire à soi-même ? Les chaînes de plus en plus tendues qui sont formées par un contrat d'attachement et d'amour sans faille ne sont-elles pas responsables du fait qu'il sera de plus en plus difficile de se confier à l'autre sans risquer de voir un maillon s'affaiblir et casser ? Un contrat d'amitié ne s'avérerait-il pas alors beaucoup plus viable ? Cette cohabitation de l'amitié et de l'amour au sein d'un couple n'empêcherait-elle pas de nombreuses séparations d'avoir lieu parce que l'un ou l'autre des partenaires se sent étouffé par une promesse ou un contrat de plus en plus limitatif, l'obligeant à refouler ses sentiments véritables ? Évidemment, toutes les réponses sont également dans les questions...

L'amitié que notre tête essaie en vain de tuer
Des pensées qui s'entêtent à faire de nous des guerriers

Notre mental avec ses mille et une cogitations devient parfois notre pire ennemi, surtout lorsqu'on le laisse prendre le contrôle de notre vie. C'est pourquoi il a une sainte horreur de notre passion de vivre qui, elle, nous porte à ignorer ses tortueuses élucubrations. Comme on l'a vu précédemment, c'est notre tête qui juge et qui tente par tous les moyens de nous convaincre que seule notre réalité est la bonne, que tout ce qui ne lui correspond pas est par conséquent erroné. Quand on tombe dans ce piège inconscient du jugement, pensant que seul ce qu'on croit est vrai, on devient juge et l'on... ment.

Au moindre accroc à la bonne morale rattachée à notre réalité, l'amour qui jadis liait les amants devient alors un terrain de belligérants où s'affrontent inlassablement les idées et les mots. C'est pourquoi le plus beau contrat, celui du cœur, celui qui réunit plus que tout les *amants amis*, se situe au-dessus de toute morale acceptée comme « la » norme à suivre. Ne laissons jamais notre tête et ses argumentations bidons brouiller les élans de notre cœur, car c'est à ce moment que notre passion de vivre s'éteindra. Cette passion nous dirigera souvent à l'encontre de ce que veut nous imposer notre mental menteur... En effet, lorsque la raison prend le dessus sur le cœur, nous cessons de créer notre vie. Nous courons alors le risque de nous endormir rapidement et profondément dans le lit si douillet de nos croyances. Lorsque notre tête utilise nos pensées pour faire de nous des guerriers intransigeants, lorsqu'elle s'acharne à se battre bec et ongles contre notre cœur, il est grand temps de lui enlever ses armes avant qu'elle nous blesse ou ne blesse quelqu'un d'autre.

Je veux un miracle, pour nous redonner la liberté

À la longue, un attachement excessif à l'autre, tout comme celui qui est entretenu envers ses propres principes, aura tôt fait de transformer l'amour libérateur en cage dorée – mais néanmoins une cage – qui finira par désunir le couple et détruire la relation. En effet, si on se laisse prendre au piège très subtil d'étouffer l'autre, ou soi-même, par notre façon contraignante d'aimer, l'amour jadis bien vivant courra le risque de se transformer en des liens asservissants. Vous avez sûrement déjà visité un jardin zoologique ? Avez-vous remarqué la détresse des animaux confinés à des cages ? Plus un animal restera attaché longtemps, plus il sera privé de sa liberté d'être, plus il aura aussi le goût de s'évader à la moindre occasion.

Ainsi en est-il de l'humain. Son aspiration profonde à la passion de vivre demande à la base un minimum de liberté d'action. Connaissez-vous quelqu'un sur cette terre qui n'aspire pas un jour à vivre pour lui-même ? Ce qui n'empêche pas la vie de couple, évidemment, pourvu que la relation soit enrichie de certaines ententes entre les partenaires. Des partenaires qui, au lieu d'agir en éléments complémentaires, seront plutôt supplémentaires l'un à l'autre. Ce qui est très différent. Les compléments ont un besoin vital l'un de l'autre, l'un ne peut exister sans l'autre. Tandis que les suppléments sont autonomes et trouvent plutôt chez l'autre le fameux petit *plus* qui fait toute la différence.

Cette aspiration passionnelle à la liberté est la quête fondamentale de tous les humains. Si elle est bien comprise, assumée et vécue essentiellement pour soi, elle ne brimera jamais la liberté des autres. Si des vents émotionnels se manifestent, l'être éveillé laissera passer la tempête, après quoi les cendres retomberont et la passion reviendra. Je crois que la règle d'or entre deux êtres vivant ensemble et dans la conscience consiste à ne jamais mettre en danger la liberté primordiale de l'autre, pas plus que la sienne propre.

Je veux un miracle, issu de notre complicité

Des gens éveillés et passionnés par surcroît qui vivent ensemble développent habituellement entre eux une complicité hors du commun. Si elle est bien gérée, cette complicité peut leur permettre de déplacer des montagnes. Nous attirons naturellement les personnes qui nous ressemblent le plus et vice-versa. Et dans le domaine de la conscience, tout semble laisser croire que cela soit encore plus vrai. Cela expliquerait aussi pourquoi il est si difficile pour un être qui s'éveille spirituellement de vivre avec quelqu'un d'endormi, sans but ni passion, ou même de simplement côtoyer des individus amorphes.

Si vous êtes passionné, vous rechercherez tout naturellement la connivence avec d'autres êtres comme vous. C'est tout à fait louable et normal. Et dans le même ordre d'idée, si vous vivez avec une personne qui n'est plus animée par cette passion, vous sentirez ce même besoin de fréquenter des amis enflammés de vie comme vous qui vous permettront d'entretenir votre feu intérieur. Les êtres passionnés enflamment tous ceux qui les touchent de près ou de loin par leur seule présence.

Si vous osez développer à votre tour cette passion de vivre, vous deviendrez comme ce feu de camp autour duquel les amis aiment se réunir, tout naturellement, pour en capter la lumière et la chaleur. Ils ne savent pas pourquoi, mais ils s'approchent et ils tendent instinctivement les mains vers le feu. Une telle complicité relationnelle vécue par deux personnes dans l'être – pas dans la tête – permettra que tout devienne possible.

Au-delà de la morale, de tout ce qu'on nous a enseigné
De tout ce qu'on a cru mal, serait-ce là notre porte d'entrée

Comme on l'a vu précédemment, lorsqu'on ose déborder de certains principes moraux imposés par la famille, la religion et l'éducation, il peut arriver que la passion de vivre se lève en nous brusquement comme une tornade inattendue, comme un vent de folie qui arrive d'on ne sait où, mais dont on ne peut nier très longtemps la présence ! Nous avons été éduqués pour la plupart dans le déni de soi, dans la crainte d'abuser des autres, dans la méfiance envers tout ce qui pourrait nous apporter trop de plaisir. « Si jamais on aimait ça... Quel malheur ce serait ! » Est-ce que quelqu'un nous a déjà expliqué pourquoi on devrait s'astreindre à se couper de ce que notre être désire le plus : la joie de vivre et le plaisir. « Ça ne se fait pas, c'est tout, ne posez plus de questions ! » était l'argument suffisant pour que les petits moutons frustrés entrent docilement dans le rang, la tête basse mais quand même heureux de n'avoir pas désobéi ou enfreint si peu que ce soit la sacro-sainte règle. Eh bien, à force de voir nos pulsions de toutes sortes refoulées au nom de la soumission à la bienséance, plusieurs d'entre nous ont fini par s'endormir très profondément dans l'attente de la récompense, une récompense qui, comme une promesse d'élection, n'allait jamais venir de toute façon. Un homme endormi ne dérange pas et ça, plusieurs l'ont compris.

Retrouver sa passion de vivre se manifeste donc par une sortie en règle du rang des moralistes, des gourous directifs, des grenouilles de bénitier et j'en passe. Cela se fait en explorant de nouvelles terres, en osant vivre des choses qu'on n'a jamais osé vivre auparavant. Ce faisant, on s'aperçoit dans bien des cas que ce qu'on croyait mal n'était en réalité que le bien qui s'était déguisé afin de ne pas être reconnu. N'avez-vous jamais défié un interdit juste pour le plaisir du geste ? Wow ! Quel délice ! D'ailleurs, interdisez à un enfant de faire quelque chose et c'est sûr qu'il le fera un jour ou l'autre, juste pour défier l'autorité. Pour les passionnés, l'interdiction devient paradoxalement un puissant incitatif à l'action. Nous sommes des êtres d'expérimentation, ne l'oublions jamais. Les adolescents en savent quelque chose. Les différentes incursions hors des sentiers battus sont, la plupart du temps, des portes d'entrée sur le « nouveau » qui ne demande qu'à être découvert.

Je veux un miracle, pour sauver ce que l'on est vraiment

À force de dormir notre vie, nous perdons peu à peu notre identité. Évidemment, cela se rapporte autant à notre vie personnelle qu'à notre vie de couple. En se fondant dans la masse, on devient cette masse, et bien souvent on est nivelé automatiquement vers le bas. Par contre, en se fondant dans le Tout, on devient le Tout, ce qui est beaucoup plus intéressant, car à ce moment, c'est vers le haut qu'on est propulsé. C'est le même principe qu'une goutte de pluie qui tombe dans la mer et perd son identité de goutte d'eau aussitôt qu'elle touche la surface de l'onde. Elle devient la mer.

Lorsqu'on se fond dans la masse, on entre sous le contrôle de ce que certains philosophes appelleront la loi générale, versus la loi d'exception, celle des moutons noirs qui ont décidé de ne plus suivre le troupeau. Lorsqu'on se perd dans la masse, on devient alors un numéro – et pas un numéro un – croyez-moi. En fait, la seule chose – si on peut utiliser ce terme – dans laquelle on aurait intérêt à se fondre, c'est dans le Tout, car au moins lui, il est vivant et infini.

La passion de vivre nous oblige à sortir du troupeau formé des brebis endormies de ce monde et redécouvrir, par la force des choses, notre identité propre, nos forces personnelles, nos talents innés et à mettre en valeur ces qualités qu'on est souvent les seuls d'ailleurs à ne pas reconnaître. En tant que couple, le même principe s'applique. Lorsque la passion initiale s'estompe, si on se laisse emporter par les remous de la routine, on perd lentement notre identité personnelle et on ne devient qu'une moitié d'un couple. Combien de jeunes gens ont enterré leurs rêves les plus fous avec la fin de leur vie dite de jeunesse ? Combien ont cessé de cultiver leur valeur personnelle en donnant tout le pouvoir à leur couple fraîchement créé ?

Dans le couple se trouve trois entités bien distinctes : la première personne, la deuxième, puis l'entité nouvelle formée par les deux ensemble. Si l'un de ces trois éléments se perd dans les deux autres, le déséquilibre s'installe et c'est le début de la fin. La passion de vivre relance incessamment le débat à savoir qui nous sommes vraiment par opposition à ce que la société voudrait que l'on soit. Lorsque ce débat est lancé, rien ne peut l'arrêter et ce ne peut-être que le début d'une nouvelle ère remplie de surprises pour ceux qui osent s'y aventurer.

Je veux un miracle, pour en ressortir tous les deux plus grands

Retrouver son identité personnelle au sein d'un couple se révèle être un défi de taille, surtout si on s'est fondu l'un dans l'autre depuis moult années. C'est pourquoi, plus cette prise en charge se fera tôt, plus le défi aura de chances d'être relevé avec succès, faisant grandir par la même occasion les trois entités du couple. Si on a le courage et la maturité de se donner mutuellement la liberté d'action nécessaire à ses accomplissements personnels, ceux-ci auront immanquablement pour effet de redorer le blason du couple.

Le fait de se reconnaître soi-même, de se redonner des buts personnels ainsi que les moyens pour les atteindre, ne mettra jamais d'entrave à l'élévation du couple. Au contraire, plus l'un s'élèvera, plus l'autre recevra l'énergie et la motivation pour en faire autant. Et, par conséquent, les deux amoureux en tireront avantage. C'est pourquoi il m'est si agréable de voir deux êtres éveillés et conscients qui ne sont plus des compléments l'un de l'autre, mais des suppléments pour chacun. Chez ces couples, il y en aura toujours un des deux qui maintiendra bien vive la passion de vivre au sein de l'union dans les moments difficiles. Lorsque l'un des deux ne se portera pas bien, l'autre se trouvera comme par magie en état de l'aider.

Dans la vie, toute épreuve peut devenir soit une occasion de souffrir davantage, soit un tremplin propice à l'élévation. Les gens endormis, les victimes, choisiront la première alternative, tandis que les autres, à force de persévérance, se serviront de l'expérience acquise pour élever leur conscience.

Pour unir nos deux forces, cesser d'être des combattants
Laisser entrer l'amour à grandes portes
Ignorer tous nos jugements

Si les décideurs de ce monde cessaient de se battre pour défendre leurs points de vue et employaient plutôt leur énergie à unir et utiliser leurs forces respectives dans un but commun, la Terre et ses habitants se mettraient à évoluer à une vitesse fulgurante. Dans le même ordre d'idée, si toutes les religions s'unissaient au lieu de crier haut et fort leur supério-rité et se targuer de détenir la Vérité avec un grand « V », il en résulterait un bouleversement planétaire. Et en peu de temps, on n'aurait plus be-soin de religions. C'est probablement pourquoi elles ne le font pas. De toute façon, si vous les étudiez le moindrement, vous constaterez que pratiquement toutes les grandes religions du monde parlent de la même chose, en des termes différents.

Dans le couple éveillé, dès que les deux composantes développent une maturité suffisante pour unir leurs forces au lieu de s'opposer à la suite de divergences d'opinions, la porte s'ouvre toute grande à une sa-gesse, un amour et une passion tout à fait renouvelés. Si, par contre, cette maturité n'est pas présente des deux côtés, de sanglantes batailles de tranchées auront lieu au fil des années et se termineront bien souvent par une séparation définitive. Pour défendre ses idées, chacun agira comme un combattant, jugeant que l'autre, l'adversaire, a tort, et lui, raison.

Les jugements de valeurs sont donc à la base de tous les combats, qu'ils soient juridiques, religieux ou amoureux. Des gens passionnés, qui de plus s'aiment à la folie, créent une dynamique d'une force extraordinaire. Et c'est la réunion des forces en présence qui cimentera les vrais couples dignes de ce nom. Il n'en reste pas moins que les jugements viendront toujours se pointer le bout du nez, les jugements envers nous comme envers les autres, mais il n'en tient qu'à nous de ne pas les laisser franchir le seuil de notre maison et détruire tout sur leur passage.

Je veux un miracle, Dieu je te mets au défi

Que Dieu soit pour nous une force extérieure ou intérieure, il nous veut du bien par-dessus tout. Alors, il ne faut jamais hésiter à le mettre au défi de placer sur notre route des gens et des évènements qui feront grandir notre bonheur. Oui, je le répète, ne vous gênez pas ! Donnez-lui des ultimatums puisqu'il est tout et qu'il peut tout. Je ne le connais pas personnellement, mais je suis sûr qu'il aime ça !

S'il est une mauvaise habitude dont il faut se débarrasser au plus tôt, c'est de se contenter de demander peu de choses pour ne pas être déçu si on ne l'obtient pas. Ou pire encore, de ne rien oser demander pour ne pas le déranger… Eh oui, ce genre de pensée existe encore de nos jours. La crainte de Dieu est une croyance limitative révolue, mais toujours présente au plus profond de nous. Si Dieu est notre Père, pourquoi aimerait-il qu'on le craigne ou qu'on croie qu'il puisse nous faire du mal ? Si, en plus, il est « nous », pourquoi jouerait-il à s'auto-saboter ? Cette crainte de Dieu fait partie des moyens subtils que certaines religions ont utilisé pour garder le contrôle de leurs ouailles. « Mais André, si Dieu est une force aimante, pourquoi ne fait-il pas en sorte que la paix règne sur terre ? » En fait, tout est mis en place pour que cette paix prédomine. Mais comme notre bonne vieille planète est une terre d'expérience où en plus, tout est permis, l'humain a libre jeu. Ce n'est pas l'énergie divine qui fait la guerre, qui vole, qui déséquilibre la nature. C'est juste l'humain qui expérimente.

Vous avez un défi à relever ? Vous avez besoin d'aide ? Voici un petit conseil pratique : remettez le dossier en entier à la force supérieure – en vous ou à l'extérieur de vous, selon vos croyances . Puis, laissez-vous glisser avec le plus de fluidité possible dans le courant de la vie, sans résister. Les miracles se produisent la plupart du temps au quotidien, de façon tout à fait banale. Ils ne se manifesteront qu'à la seule condition qu'on les laisse être. Mettons Dieu au défi, il aime ça ! Probablement que ça lui donne quelque chose à faire…

Si, par contre, vous avez enfin réalisé que Dieu n'était pas une entité extérieure à vous, mais en vous, ou encore mieux, que vous étiez Dieu, fondu en lui, comme une goutte d'eau qui tombe dans l'océan et le devient, eh bien ! mettez-vous vous-même au défi, sans préambule, dans tout ce que vous avez de plus divin. N'est-ce pas plus simple ainsi ? Dès lors, la solution à vos problèmes ne viendra plus de l'extérieur, mais de l'intérieur de vous. Ce qui vous épargnera bien du temps. En effet, lorsque nous attendons qu'un autre règle les problèmes pour nous, même et surtout si *l'autre*, c'est Dieu, nous risquons fortement de nous endormir dans l'attente et de laisser passer le train. Quand on dort profondément, on oublie nos rêves et on se met à mourir à petit feu. Par contre, lorsqu'on sait qu'on est Dieu, que toute solution origine de nous, de notre être profond et divin, on reste plus apte alors à demeurer dans l'action, animé par une passion de vivre constante. Une passion qui a pour effet que rien ne saura nous arrêter dans notre quête de solutions qui se présenteront de toute façon d'elles-mêmes, au moment propice, sans qu'on ait même à les chercher.

Je vous propose donc qu'à l'instant même vous mettiez Dieu au défi de changer votre vie ! Ne limitez pas vos demandes, surtout si vous acceptez le fait que tout être humain est Dieu, donc un être infini. Une expression anglaise populaire dit : « The sky is the limit ». Quoi de plus vrai. Le ciel n'a pas de frontières ! En fait, il n'y a de limites que celles que nous nous mettons. Pensez à un de vos problèmes et dites ceci : « Je *me* mets au défi de régler cet ennui rapidement, facilement et maintenant, car je suis Dieu, ce qui rend toute chose possible. Qu'il en soit ainsi ! » Laissez votre force divine agir et passez à autre chose.

Je veux un miracle,
Pourquoi notre route s'arrêterait ici

« L'échec n'existe pas. Il n'y a que des gens qui ont cessé d'avancer… »

Lorsqu'on se voit arrivé au bout d'une route, qu'elle soit profession-nelle, amoureuse ou autre, c'est qu'une autre nous attend, encore plus belle, encore plus large. Pour le passionné de la vie, les culs-de-sac sont annonciateurs de changements, des signes avant-coureurs de l'imminence d'une nouvelle naissance. Lorsqu'on sait considérer les tournants majeurs de notre vie dans cette optique, quelques jours peuvent parfois suffire pour digérer émotionnellement une peine, accepter un apparent échec, soigner une déception. On le vit pleinement, puis on continue sa route, sans broncher ni regarder derrière. La lumière réapparaît au bout du tun-nel et la nouvelle voie se dessine d'elle-même sans qu'on l'ait cherchée.

Les seules personnes à s'endormir ou mourir dans un cul-de-sac sont les éternelles victimes qui mettront toujours la responsabilité de leurs malheurs sur le dos des autres. On ne le dira jamais assez : « L'important n'est pas de tomber, mais de se relever ». Chaque fois qu'un voile opaque semble se former devant nous, c'est qu'il cache derrière lui une occasion en or de se poser des questions, faire le point et de passer à l'étape suivante. Pour le passionné, toute impasse apparente devient donc une excellente occasion pour l'obliger à s'arrêter, le temps de décider s'il veut quitter ou modifier la voie dans laquelle il chemine depuis un certain temps. Lorsqu'on est convaincu de la perfection de tout ce qui arrive, toutes les solutions seront viables et mèneront au « nouveau ». Donc, aucune chance de se tromper…

*Repartir sur d'autres bases
Avec respect mais sans attachement
Remettre les fleurs dans un nouveau vase
Les arroser de notre présent*

Ce qu'il y a de particulier avec l'évolution humaine, c'est que personne ne peut régresser. Il peut certes arriver qu'on ait l'impression de stagner dans des cloaques, mais encore là, il n'en est rien. La théorie de l'évolution n'appartient d'ailleurs qu'au plan temporel, où tout doit avoir un début et une fin, un point A de départ et un point B à atteindre, puis un point C et un D, etc. Si on échappe à la notion du temps, on cesse d'évoluer et l'on devient parfait, dans l'instant présent. Mais, c'est une toute autre chose. Sri Aurobindo dit ceci de l'évolution : « L'évolution ne consiste pas à devenir de plus en plus saint ou de plus en plus intelligent ou de plus en plus heureux. L'évolution consiste à devenir de plus en plus conscient. »

Sur notre plan, humain et terrestre, l'évolution n'est toujours qu'une question de temps, car nous sommes constamment en mouvement, même si parfois, nous serions portés à croire le contraire, c'est-à-dire qu'on est arrêté, qu'on fait du surplace, qu'on est en pause… Quand on a l'impression de ne pas avancer, c'est souvent qu'on s'accroche à l'ancien, qu'on se sécurise dans nos bases pourtant révolues, dans des croyances dépassées (des croyances qui, la plupart du temps, sont celles des autres) et des préjugés limitatifs (qui font de nous des juges intolérants). Chaque tournant majeur dans notre existence nous oblige à prendre en main notre vie, nous invite à détruire nos anciennes fondations pour rebâtir sur du nouveau cette fois. Pour le passionné de vie, ce continuel recommencement s'avère parfois épuisant. Épuisant pour lui comme pour son entourage, car aussitôt qu'il se sent bien quelque part, c'est déjà signe qu'il doit repartir. Ce qui ne laisse pas une grande place au repos, laissez-moi en témoigner !

Le problème est qu'on s'attache si facilement à nos acquis, qu'ils soient matériels, relationnels ou moraux, qu'il est difficile ensuite de s'en défaire. Au niveau des croyances, c'est encore plus ardu, surtout si on est ouvert d'esprit. Parfois on vient juste de se faire une idée et de changer d'opinion sur une question cruciale concernant notre vie spirituelle, on croit avoir enfin compris quelque chose d'important, avoir gravi une autre marche et y avoir acquis une compréhension supérieure. Et voilà ! Bang ! On s'aperçoit avec horreur qu'il faut déjà changer d'idée.

Un des défis que doit affronter le passionné de vie, c'est de ne s'attacher à rien ni à personne, même aux perles qu'il lui est donné de rencontrer sur sa route. Durant un certain temps, certes, il en captera les reflets, les emmagasinera momentanément en lui, mais il devra transmettre aux autres à la première occasion ce dont il s'est enrichi à leur contact, pour ensuite se mettre à la recherche de nouveaux trésors à partager. Les gens qui s'attachent trop à leurs croyances s'en font des blocs de ciment qui finissent par les empêcher d'avancer. Car la légèreté, elle aussi, prend du poids avec le temps et devient boulet au pied si on ne fait pas gaffe. L'attachement est un piège béant pour tous les grands penseurs sans exception de ce monde qui, croyant avoir trouvé la vérité, s'enferment dans leur tour d'ivoire et perdent au fil du temps le contact avec la vérité des autres. Selon la *Bhagavad-Gita* (livre de sagesse hindou), l'attachement à sa propre vertu (le troisième *Guna*) est le piège ultime qui doit être dépassé par les grands maîtres avant d'atteindre l'illumination.

Dans pratiquement tout conflit relationnel, il se présente deux choix tout aussi valables : jeter par-dessus bord tout ce qui se rattache à la controverse (séparation, divorce) et repartir à zéro ou, après analyse des éléments de discorde, remettre les fleurs dans un nouveau vase mieux adapté aux besoins de chacun et assister à la formation de nouvelles racines. Comme dans le monde des affaires, tout contrat doit être renégocié après un certain temps. Dès qu'une clause devient une entrave à l'un des partis impliqués, un amendement devient nécessaire pour que la bonne entente demeure. À cause des frustrations qu'ils engendrent, les vieux contrats non renégociés deviennent des chausse-trapes à éviter. À la longue, ils se mettent à dégager une odeur nauséabonde et asphyxiante qui endort profondément ceux qui y sont pris.

Par contre, lorsque les fleurs sont remises à temps dans un nouveau terreau plus adéquat à leur développement, il ne suffit parfois que de les arroser chaque jour, sans les inonder toutefois, pour en conserver la fraîcheur. Le passionné de vie renégocie régulièrement ses contrats, principalement ceux qu'il a pris avec lui-même. Il arrose constamment ses fleurs de son goût insatiable de vivre, de son amour pour le nouveau, pour le risque et l'inconnu. C'est la flexibilité dont il fera preuve dans tout ce qu'il traversera qui fera en sorte que les fleurs ne flétriront jamais plus.

Je veux un miracle, chassant les ombres du passé

Notre passé gît derrière nous et, en aucun cas, il ne peut être changé. C'est un fait indéniable qu'on a parfois tendance à oublier. Pourquoi alors perdre une quantité inestimable de temps et d'énergie à tenter de le garder vivant, à le ressortir de façon nostalgique à la moindre occasion, si ce n'est que pour se faire souffrir un peu plus ? Pourquoi ce besoin de se faire du mal ? Quelqu'un peut me donner la réponse ?

La majorité des êtres humains semble avoir hérité d'un don, celui de saboter avec une facilité déconcertante ses rares moments de bonheur. Sans qu'on s'en rende compte, on développe avec les années une capacité phénoménale à souffrir. En souffrant un peu ou beaucoup, on se sent peut-être moins coupable de se sentir bien ? Allez savoir ! La souffrance devient pour certaines personnes la contrepartie du bonheur. Si le malheur fait partie inhérente de nos souvenirs, il est tout à fait prévisible et normal que c'est sur lui que notre cerveau se basera pour gérer ses problèmes quotidiens. Le malheur étant le « connu », il fera partie des données de base de notre ordinateur. Le malheur et la souffrance deviendront en quelque sorte notre sécurité. Et la sécurité est le propre de l'endormi.

C'est un peu bête à dire, mais certaines personnes ont besoin de souffrir pour se sentir en vie ! N'est-ce pas paradoxal ? Paradoxal et complètement stupide quand on y pense à deux fois.

Retrouver sa passion de vivre, c'est placer en arrière plan de notre existence notre ancien monde de peur et de souffrance, celui qui nous maintient subrepticement dans le malheur. C'est l'abandonner aussitôt qu'on en sent la force. C'est enterrer définitivement les morts, se dépêtrer de nos fantômes inutiles et cesser de les ressusciter à la moindre occasion. Laissons les morts avec les morts et les vivants avec les vivants. Il appartient à chacun d'entre nous de décider à quel camp nous voulons appartenir. Si c'est à celui des passionnés, des bons vivants, alors chassons vite les ombres du passé et cessons de les nourrir par nos vains remords et par nos tout aussi inutiles regrets. Toute ombre est l'effet d'un nuage passant entre la lumière et nous. La passion de vivre souffle sur les nuages, c'est son travail. Laissons-là agir !

Je veux un miracle qui saura nous élever

Lorsqu'on appartient à cette catégorie de gens passionnés de la vie en général, il est tout à fait normal de se maintenir à la recherche de passions toujours plus grandes. Cette quête nous anime constamment et nous maintient en vie. C'est pourquoi l'être éveillé cherche continuellement à s'élever davantage et cela, dans son quotidien et entouré de ses proches. Il n'est pas nécessaire de tout chambouler autour de soi pour se mettre à vivre intensément. Étant conscient de sa divinité, on devient soi-même la source de notre propre passion. Elle ne dépend jamais des autres, mais est issue de notre vision personnelle des choses. Lorsqu'on a comme but de s'élever vers un plus grand bonheur, ou encore mieux, quand on se considère comme baignant déjà dans LE bonheur, tout devient possible, facile et sans entrave. Comme on l'a mentionné plus tôt, le ciel n'a de limites que celles qu'on lui donne.

En fait, le principe est bien simple : tout ce qui nous arrive, bon ou mauvais, peut nous servir soit à nous élever, si nous le considérons comme un tremplin, soit à déchoir, si nous baissons trop vite les bras devant l'adversité et devenons des victimes. Une des clefs du bonheur, c'est de s'acharner à voir en toute situation les occasions qu'elle nous donne de grandir. Ce faisant, on passe de façon beaucoup plus véloce d'un état de découragement à celui de redécouverte de soi. Si, au contraire, on se contente d'accuser les autres, ou même Dieu, d'être la source de tous nos malheurs, on ne retrouvera pas la passion de vivre de sitôt. Par contre, à l'instant où on reconnaît la justesse, la sagesse et la perfection de tout ce qui nous arrive, dans un processus d'élévation qui parfois peut nous dépasser, eh bien, plus rien ne pourra désormais nous abattre très longtemps.

Transformer nos silences en moments d'éternité
Enrichis de nos deux présences
Que l'on cesse de s'apitoyer

« La profondeur du lien d'amitié qui unit deux personnes se reconnaît au privilège qu'ils se donnent de profiter ensemble de précieux moments de silence, sans sentir le besoin de les remplir »

On serait porté à croire que le passionné se garde toujours en mouvement, mais c'est faux. La passion peut se retrouver autant dans l'inaction que dans l'action, autant dans le calme que dans la cohue. Se permettre de redécouvrir les plaisirs du silence, seul ou avec d'autres personnes, témoigne déjà d'une grande marque de sagesse. Avez-vous remarqué le malaise qui se crée lorsqu'une période de silence se glisse subtilement dans une conversation, sans qu'on l'ait prévue ? Notre premier réflexe sera de se trouver rapidement quelque chose à dire pour combler le vide. L'être éveillé réagit différemment. Il se nourrit des moments de silence au lieu de les fuir ou de tenter de les meubler par le bruit.

Lorsque deux amoureux, par exemple, se regardent dans les yeux, lorsqu'ils se mirent l'un dans l'autre, ils ne ressentent aucun besoin de se parler. Alors, pourquoi ne pas nous permettre la même chose avec nos amis ? Tentez cette expérience avec quelqu'un que vous aimez bien. D'un commun accord, lors d'une conversation, arrêtez-vous de parler et apprivoisez ensemble les périodes de silence ainsi créées. Au cœur de la quiétude, fermez les yeux ou admirez un bel objet ou encore écoutez une musique inspirante tout en remplissant votre être du bien-être qui en découlera. Puis, reprenez la conversation comme si de rien n'était. Vous verrez la merveilleuse dynamique que ces silences intentionnels feront naître entre vous. Des instants magiques qui seront ainsi transformés en moments d'éternité et en occasions de devenir totalement présents à soi : présence à notre respiration, à l'énergie qui circule en nous, aux sons qui entrent par nos oreilles, aux couleurs perçues par nos yeux, etc. Vivre ainsi intensément notre moment présent nous permet de nous mirer dans notre propre être.

Tous les silences qui se glissent çà et là entre deux personnes peuvent donc les enrichir et devenir de précieux moyens d'intériorisation, s'ils savent les accueillir au lieu de les fuir ou de les combattre. Les silences vécus avec sérénité feront taire le mental et les jugements qui l'assaillent, tout en minimisant l'apitoiement sur soi-même dans les difficiles périodes de remise en question. En effet, il n'y a rien de plus destructeur que de s'apitoyer trop longtemps sur son sort quand tout va mal, car les plaintes ont pour effet d'endormir l'esprit et de tuer la passion. Nous sommes tous entièrement responsables de tout ce que nous vivons.

Je veux un miracle qui nous donnera la liberté

Tout le monde se dit avide de liberté, mais est-ce que tous sont prêts à en payer le prix ? L'attachement excessif à ses biens matériels comme aux gens qu'on aime est une entrave à l'ultime but de tout être humain : être libre de ses actions et de ses pensées, être libre de se montrer en tout temps sous son vrai jour. La véritable liberté, c'est de SE donner le pouvoir d'être soi, et l'assumer totalement – ça c'est tout un défi. Cela consiste à ne jamais avoir honte de qui l'on est, peu importe ce qu'on fait, peu importe ce qu'on pense, peu importe ce qu'on ose être. Y-a-t-il plus grande liberté que celle d'être soi ? Sortir du rang, devenir imperméable aux jugements des autres qui tentent par tous les moyens de nous ramener dans le droit chemin à la moindre entorse. Une telle liberté fait évidemment de nous des moutons noirs que la horde des moutons blancs bien soumis tentera par tous les moyens de ramener dans le troupeau. Le plus grand miracle, celui dont parle cette chanson, c'est simplement la capacité d'être totalement soi, et d'en être fier.

Je veux un miracle, qui nous fera tous les deux gagner

Parmi la joyeuse bande de passionnés de la vie qui foisonnent en ce monde, on ne retrouve jamais de perdants. Comme l'être conscient sait pertinemment que l'erreur n'existe pas, qu'elle n'est en fait qu'une occasion d'éviter les mêmes embûches dans le futur, il ne perd jamais de bataille. De chaque combat, il ressort plus fort et plus sage grâce à l'expérience acquise. Les professionnels du sport en sont un excellent exemple. Ils ne s'apitoient jamais longtemps sur leurs contre-performances. Ils ont tôt fait d'en tirer des leçons pour la prochaine partie et ainsi améliorer leurs techniques de jeu. Ainsi en est-il de tout humain éveillé. Tout imbroglio devient une porte ouverte sur une conscience plus élevée permettant d'en retirer quelque chose de positif. À ce niveau, perdants et gagnants se confondent.

Ceux qui comprennent le sens profond de ce qu'ils viennent de lire ne seront pas scandalisés, ni même dérangés, par ce qui suit : « la trahison n'existe pas ». Eh oui ! Vous avez bien lu. Si on accepte le fait qu'au niveau de la conscience, il n'y a jamais de perdant ni de victime, rien que des gagnants, on peut aussi avancer sans crainte de se tromper, qu'il n'y a que des gens qui osent se choisir eux-mêmes, envers et contre tous, et prioriser leurs propres intérêts au détriment des autres. Je sais que cette dernière phrase est difficile à admettre pour certaines personnes qui trouvent tant de plaisir à ressasser devant leurs amis ou leurs thérapeutes leurs vieilles histoires d'horreur et de trahison — et se font souffrir par conséquent, en les gardant ainsi bien vivantes et fraîches à leur mémoire. Aussi, nos pires ennemis sont peut-être nos plus grands maîtres, car ils nous obligent à nous affirmer à notre tour donc, ainsi, à nous surpasser. Le mot *trahison* n'existe pas dans le dictionnaire du sage. Il a été effacé en même temps que le mot *pardon*. Le passionné éveillé n'a qu'un seul objectif en tête : que tout conflit devienne pour lui une occasion de monter une marche de plus vers sa liberté à lui et que tous et chacun se mettent à gagner dans le merveilleux jeu de la vie.

Pouvoir te dire que je t'aime
Et que tu puisses le dire aussi
Avoir autant d'amour pour soi-même
Qu'on en a pour autrui

L'amour des autres, au même titre que l'amour de soi, se retrouve toujours au sommet du palmarès de toute passion de vivre. On ne vit que pour l'amour, c'est la quête fondamentale de toute expérience humaine. Le désir de former un couple est d'ailleurs mû par ce besoin immense que l'on a de partager avec autrui notre amour et notre tendresse. Se dire mutuellement et du fond du cœur qu'on s'aime est l'un des plus puissants générateurs d'énergie qui soit. Cela nous remplit à ras bord pour des heures, voire des jours. C'est sûrement pour cette raison qu'on dit que les amoureux sont seuls au monde, car ils n'ont plus besoin de qui ou de quoi que ce soit d'autre pour générer leur énergie vitale. Même la nourriture n'est presque plus nécessaire à leur survie.

Les véritables passionnés de la vie n'hésitent jamais à dire ou à démontrer à leurs amis qu'ils les aiment et cela, au risque d'être jugés ou interprétés faussement. Avec ferveur, ils englobent de leur amour tout leur entourage. Il arrive même qu'ils désirent en donner tant de cet amour dont ils débordent, qu'ils font fuir ceux qui ne sont pas capables d'endosser cette charge affective qu'ils portent en eux. C'est d'ailleurs peut-être le seul inconvénient à faire partie de cette catégorie de gens démonstratifs dont les élans font peur aux gens endormis dans leurs principes de bienséance. Quand ces derniers se retrouvent dans l'énergie de ces passionnés, ils voient momentanément s'élever leurs vibrations, mais dès qu'ils en sortent, leur mental a tôt fait de les mettre en garde et ils battent en retraite. Les jugements prennent alors le dessus. N'ayez jamais peur de côtoyer ces bûches flamboyantes d'énergie que vous rencontrez sur votre route. Ils sont une occasion unique de vous enflammer et, pourquoi pas, de joindre leurs rangs.

Lorsque, dans la conscience, on développe autant d'amour pour les autres, on le fait également pour soi-même : avoir autant d'amour pour soi-même qu'on en a pour autrui, se dire à soi autant de « je t'aime » qu'on a envie d'en dire aux autres, se donner autant d'attention à soi-même qu'on sait si bien en donner autour de soi. Beau programme, n'est-ce pas ?

Je veux un miracle, je sais qu'il est déjà réalisé

On aura beau crier à qui veut l'entendre que l'on croit aux miracles, encore faut-il être foncièrement assuré qu'ils sont déjà réalisés dans l'énergie à l'instant où on en fait la demande. Ce qui requiert une foi totale en notre être qui lui, ne veut pour nous que de la joie exaltante, de l'abondance infinie et de la perfection en tout. S'il est vrai que nous sommes Dieu, nous sommes donc par le fait même ce Tout et nous méritons d'avoir Tout. Alors, pourquoi se limiter à de petites joies, de petites aspirations, de petites demandes ? Aussitôt qu'on accepte vraiment notre état divin – ne vous en faites pas, je ne suis pas encore rendu là – il nous devient impossible de douter. Le seul élément qui nous échappe, c'est le temps. Quand est-ce que le miracle va se réaliser ? On sait que dans l'énergie c'est déjà fait, quant au reste, néant ! On doit lâcher prise. Sur le temps, on n'a pas d'emprise. Notre être sait parfaitement ce dont nous avons besoin ainsi que le moment propice à la réalisation de tous nos rêves, laissons-lui les rênes.

Êtes-vous maintenant prêts à accepter concrètement votre propre divinité, votre droit absolu au plaisir, à la joie, à l'argent, à la sagesse ? Oui ! Vous avez tous répondu oui ? Alors, allons-y !

Et que ce miracle se nomme liberté

Tout changement majeur de vie débouche habituellement sur une plus grande liberté d'être. La vie ne nous demande que d'ouvrir grand les bras, d'accueillir ses miracles avec tout ce qu'ils comportent et de donner un grand coup de balai dans ce qui ne nous convient plus. La vraie liberté étant infinie et illimitée, elle ne peut pas côtoyer très longtemps le fini et le limité. Vous comprenez bien ce que je veux dire ? La liberté implique souvent des changements importants, souvent drastiques, dans nos modes de vie. Elle est un appel au grand dérangement. L'acceptation totale des conséquences de nos actions est une condition sine qua non à l'éveil et à la passion absolue de vivre...

Pensée d'Afrique : Chez la tribu tanzanienne des Masais, lorsqu'un homme et une femme s'unissent, l'officiant dit : « Vous vous mariez pour le meilleur et pour le pire... jusqu'à ce que l'absence d'amour vous sépare. » *N'est-ce pas plus logique que* ... « jusqu'à ce que la mort vous sépare » ? *(Citation tirée de* L'empire des anges *de Bernard Werber)*

ARRÊTE D'ÊTRE BEAU, ARRÊTE D'ÊTRE FIN...

Arrête d'être beau, arrête d'être fin
Arrête de croire que t'es un bon à rien
C'est jamais en te rabaissant
Que tu peux espérer devenir plus grand

Arrête d'être beau, arrête d'être fin
Faire suer le monde ça fait du bien
Ose dire ce que tu penses vraiment
Ça dérange mais maudit que c'est bon en d'dans

Arrête d'être beau, arrête d'être fin
Fais-toi plaisir un beau matin
Cesse de penser comme tes parents
Si pour une fois t'étais plus leur enfant

Arrête d'être beau, arrête d'être fin
Fous aux poubelles ton baratin
Ose être toi-même de temps en temps
Montre donc au monde tout c'que tu as en d'dans

Pis quand t'auras fini d'être fin
Juste pour qu'on t'aime un tout p'tit brin
C'est là que tu vas attirer
Tout ceux qui méritent vraiment de t'aimer.

Arrête d'être beau, arrête d'être fin
T'aurais pas l'goût de t'prendre en main
Quand t'es sérieux, t'es emmerdant
Mais quand tu t'mets à jouer, t'es si marrant

Arrête d'être beau, arrête d'être fin
Arrête d'être le p'tit tapis des copains
Si tu apprenais à dire non
Tu leur montrerais que t'es pas si con

Arrête d'être beau, arrête d'être fin
Sors de ta tête, descends vers tes reins
Tes vieux principes ne sont pas sex... citants
Et si tu t'laissais aller plus souvent

Pis quand t'auras fini d'être fin
Juste pour qu'on t'aime un tout p'tit brin
C'est là que tu vas attirer
Tout ceux qui méritent vraiment de t'aimer.

Arrête d'être beau, arrête d'être fin
C'est si bon d'agir en crétin
Faire des grimaces, faire le méchant
Faire toutes sortes de choses qui n'ont pas d'bon sens

Arrête d'être beau, arrête d'être fin
Arrête d'avoir le cœur sur la main
Si tu commençais par t'aimer
Au lieu d'passer ton temps à tout donner

Pis quand t'auras fini d'être fin
Juste pour qu'on t'aime un tout p'tit brin
C'est là que tu vas attirer
Tout ceux qui méritent vraiment de t'aimer.

BATTRE DE L'AILE NOIRE

Arrête d'être beau, arrête d'être fin
Arrête de croire que t'es un bon à rien
C'est jamais en te rabaissant
Que tu peux espérer devenir plus grand

Avec son éducation vétuste et unidirectionnelle, la société nous fait croire dès notre plus jeune âge qu'on n'est rien sans les autres, surtout sans les personnes d'autorité. Qu'on ne peut être heureux par soi-même, qu'on doit s'en remettre obligatoirement à une aide extérieure pour espérer devenir un jour plus grand. Plus « soumis » serait-il le terme plus exact ? Vous conviendrez avec moi que cela va à l'encontre de tout ce que cherche à cultiver en lui l'être éveillé, conscient et passionné : l'accession à l'autonomie. Personne n'a à se rabaisser devant qui ou quoi que ce soit pour obtenir une faveur ou pire encore, s'assurer un salut éternel illusoire. L'unique soumission qu'on puisse considérer comme acceptable est celle qu'on entretient envers son être. Cette soumission se transforme en abandon, devenant par le fait même une libération, jamais un boulet. Tout abaissement envers un Dieu extérieur à nous ou un écrit supposément sacré n'est qu'une autre façon qu'on a trouvée de plier les genoux devant autre chose que soi. Retour à la case départ. L'être qui s'éveille à la passion de vivre accepte et assume entièrement le fait d'être unique et auteur potentiel de créations extraordinaires. Ce n'est jamais en se rabaissant ou en se croyant plus petit que les autres qu'on éveillera ses talents et qu'on les laissera s'épanouir en nous.

Arrête d'être beau, arrête d'être fin
Faire suer le monde ça fait du bien
Ose dire ce que tu penses vraiment
Ça dérange mais maudit que c'est bon en dedans

Avez-vous remarqué comment les passionnés qui, en plus, prennent plaisir à avancer contre vents et marées, ont le don de déranger, de tout bousculer autour d'eux ? Cette propension à faire lever le vent sur son passage est ce qui caractérise le plus les gens qui s'éveillent à une conscience nouvelle. Ironiquement, si on sépare en deux le mot déranger, on obtient ceci : dé-ranger, sortir du rang. Or, extirper de force quelqu'un de son rang, le séparer de sa sacro-sainte sécurité et des normes préétablies, du *politically correct* font naître invariablement des tornades qui peuvent paraître au premier abord dévastatrices. L'être éveillé dérange car, par sa simple présence, il fait naître tout autour de lui la passion. Ce qui ne laisse pas de place au calme plat, mais à un grand dérangement qui s'installe en nous et autour de nous ; un dérangement auquel il faudra s'habituer.

C'est pourquoi ceux qui préfèrent le sommeil sécurisant du statu quo vous fuiront comme la peste. Ils se protégeront en vous jugeant et vous confronteront par le fait même dans vos propres doutes. Curieusement, ils s'avéreront être à long terme, vos plus merveilleux maîtres. Car, en agissant ainsi, ils vous permettront de tester la solidité des bases de votre nouvelle vie. Mais, si vous appartenez à cette catégorie de *perturbateurs*, ne vous en faites surtout pas. Petit à petit, on s'habitue à la contrariété et – je rougis presque à l'écrire – on y prend même goût. Certains candidats à la maîtrise de leur vie seront maladroits au début de leur période de chambardement. Ils agiront parfois de façon extrémiste dans leurs paroles comme dans leurs actes. Mais cet extrémisme ne sera que temporaire et l'équilibre reviendra tout seul. Et si, comme l'affirme la chanson, les passionnés font parfois suer ceux qui ont la chance – appelons ça une chance – de les côtoyer, c'est que quelque part, ces derniers en ont besoin, sinon ils ne seraient pas dans leur entourage.

La transparence dont font preuve certains êtres éveillés secoue les vieilles coutumes des gens qui ont l'habitude des masques et réussit par le fait même à transpercer les carapaces les plus étanches. Lorsqu'on ose dire ce qu'on pense vraiment, comme les enfants le font si bien d'ailleurs, on risque de créer d'énormes remous autour de soi. Mais cela s'atténuera avec le temps et l'expérience. Peu à peu, on apprendra à s'exprimer clairement, sans accuser les autres ou tout casser autour de soi. Une main de fer dans un gant de velours. La passion de vivre est un état d'être qui s'apprend, qui s'apprivoise et qui se façonne au fil des expériences. Au début, on peut faire preuve de maladresse et commettre quelques bourdes. Il ne faut surtout pas oublier que la vie est un jeu. Notre état d'éveil fera en sorte que tout s'équilibrera avec le temps, puisqu'on saura apprendre de nos erreurs au lieu de les subir passivement en victime.

La simple satisfaction d'oser se montrer authentique nous apportera la plus grande paix. Après quelque temps et conséquemment aux résultats de nos démarches, déranger fera partie de notre quotidien et deviendra même une chose normale et particulièrement saine. Car, on apprendra par la même occasion, à se laisser soi-même déranger par les autres, sans entrer dans l'émotion comme avant. Il ne faut jamais oublier que les pensées d'une personne ne sont pas cette personne, qu'elles ne sont qu'une interprétation de son mental sur un sujet donné, et que cette interprétation est temporaire. Elle pourrait même être complètement différente dès le lendemain. Il est possible d'aimer profondément une personne pour ce qu'elle est, tout en étant opposé à ce qu'elle pense. Un être éveillé peut estimer quelqu'un dans sa différence, celui-ci étant toujours une facette du miroir de soi, un élément supplémentaire à la conscience de soi. Encore faut-il demeurer alerte et particulièrement éveillé dans ce dessein, sinon le jugement envahissant de notre mental viendra vite brouiller les cartes.

Arrête d'être beau, arrête d'être fin
Fais-toi plaisir un bon matin
Cesse de penser comme tes parents
Si pour une fois tu n'étais plus leur enfant

Vous arrive-t-il parfois de vous lever le matin et de ressentir une envie folle de vous faire plaisir ? D'éprouver un profond désir de poser une action tout à fait égoïste, juste pour vous, pour le simple plaisir de faire vibrer votre être à un diapason différent ? Je suppose que vous hochez la tête en signe d'approbation et que votre réponse est positive, le plaisir étant le propre de l'être, une aspiration fondamentale et un but inavoué de chaque humain. Nous sommes constamment à la recherche du plaisir dans tout ce que nous faisons. Mais, si ce fameux plaisir est notre but ultime, pourquoi attirons-nous alors la souffrance ? Pour la simple raison que notre tête, avec son mental menteur qui appuie ses dires sur toutes ses croyances et ses nombreux préjugés, s'efforcera par tous les moyens possibles de nous prouver le contraire. L'ego a une telle peur de perdre la face... et surtout que nous perdions la tête !

Pour un bon nombre d'entre nous, les croyances inculquées de petitesse, de modestie, de pauvreté et de « pécheur-devant-payer-pour-ses-fautes » sont ancrées dans nos cellules bien plus profondément qu'on puisse le croire. Prenez le temps d'analyser quelles sont les croyances qui vous appartiennent vraiment, celles qui vous sont propres et celles provenant de vos parents. Vous serez probablement surpris, pour ne pas dire foudroyés, de constater que la plupart de vos peurs sont effectivement celles de votre père ou de votre mère. Ce qui est extraordinaire avec cet exercice, c'est que le seul fait de réaliser cela et de rendre à César ce qui appartient à César enlèvera à vos peurs toute emprise sur vous. Même si cela peut vous paraître facile et simpliste, soyez assurés que ce l'est effectivement... mais que ça marche.

C'est pourquoi le passionné se débarrassera en peu de temps des sacro-saintes croyances auxquelles il était accroché depuis longtemps et qui ne lui collent plus. Il dérangera ses proches en reprenant possession de sa vie et de ses propres convictions. Il cessera alors progressivement de penser comme ses parents en se dégageant des pensées nuisibles qui entravent sa liberté. Car, il ne faut pas se le cacher, on n'hérite pas seulement de choses négatives de la part de nos ancêtres, mais aussi de valeurs nobles et constructives. Redécouvrir la passion de vivre nous oblige à mettre la hache dans notre système de croyances, à départager ce qui nous appartient et ce qui ne nous appartient pas. Cet exercice est extraordinaire et, si vous osez le faire, vous serez surpris de constater tout ce que vous faites par habitude dans votre vie quotidienne parce qu'on vous a toujours dit que c'était ainsi que ça devait se faire.

Si pendant quelques secondes seulement nous pouvions cesser de penser comme nos parents et nous redonner la latitude totale de le faire par nous-mêmes, notre vie s'en verrait changée du tout au tout. Durant les prochains jours, portez attention à vos pensées, à vos gestes, à vos habitudes, à vos rituels et demandez-vous chaque fois si ceux-ci vous sont vraiment utiles ou si ils sont simplement dictés par une habitude imposée ou acquise avec le temps. Vous serez surpris du résultat. Après quoi, vous pourrez plus facilement laisser aux autres ce qui leur appartient, sans vous empêcher de les aimer pour autant, il va sans dire.

Par exemple, ce n'est pas parce que votre père avait une peur extrême de la maladie ou de la mort que vous devez vous aussi nourrir cette même peur tout le long de votre existence. Ce n'est pas parce que votre mère craignait toujours d'être rejetée que vous devez entretenir vous aussi cette phobie du rejet. Pensez-y ! Si pour une fois vous osiez devenir entièrement responsables de vos actes et de vos pensées, si vous cessiez de penser comme vos parents, vos éducateurs, vos mentors... Et si, par la même occasion, vous permettiez à vos enfants de ne pas penser comme vous...

Arrête d'être beau, arrête d'être fin
Fous aux poubelles ton baratin
Ose être toi-même de temps en temps
Montre donc au monde tout ce que tu as en dedans

Avec les années, on se bâtit une carapace pour se protéger ou, plus souvent qu'autrement, pour éviter de se voir comme on est. Cette carapace est recouverte de toutes les croyances qu'on nous a inculquées ou présentées comme étant La vérité. En réalité, ce que la passion éveille en nous, c'est un désir absolu de construire avec le temps, pierre par pierre, notre vérité à nous, pas celle des autres. Lorsqu'on en vient à être complètement imbibé des croyances des autres, on se convainc que notre vérité est LA vérité. C'est ainsi qu'on cesse de chercher autre chose en dehors de notre voie préétablie, pour finalement s'endormir profondément au milieu de tout ce « baratin » qui n'est en réalité qu'un nid bien sécuritaire – en apparence – où l'on ne se fera plus déranger. Ron... ron...

La chanson *Arrête d'être beau, arrête d'être fin...* nous suggère de faire de temps en temps un tri de nos habitudes, rituels et croyances et remettre le compteur à zéro. Ce qui nous empêchera par la même occasion de tomber dans le piège du nombrilisme, un piège qui est passablement courant dans le monde du développement personnel. Combien de fois avons-nous entendu le genre de phrase qui suit, venant de certains prétendus maîtres en quête de disciples soumis et prêts à tout sacrifier pour eux ? : « Venez à moi, chères ouailles, venez vous imprégner de ma vérité, venez vous enrichir de ce que je vous dirai... ». Moi, je dirais plutôt : « Venez vous alourdir un peu plus du fardeau de mes limites... ».

Le sincère passionné de la vie remet souvent en question sa vérité et regarde continuellement autour de lui dans l'expectative de capter un rayon de soleil furtif qui pourrait l'enrichir. En s'ouvrant ainsi aux autres, il ose être lui-même et faire suffisamment confiance en son discernement pour déterminer ce qui est bon ou non pour lui. En se renouvelant constamment, on retarde par le fait même le processus de vieillissement qui guette les endormis et l'encroûtement mental qui s'ensuit. On cesse également de se prendre pour le nombril du monde aussitôt qu'on se croit rendu au bout de la route. C'est uniquement en restant soi-même et en pensant par soi-même qu'on peut montrer le plus aux gens qui nous côtoient tout le potentiel qu'on possède. « Ce que tu ES en dit si long sur toi que je n'entends pas ce que tu dis... ». Encore faut-il d'abord se convaincre soi-même de la force infinie de son être, pour pouvoir ensuite la transmettre aux autres. Peu nombreux sont les gens qui osent utiliser leur plein potentiel dans la vie. Ils ont plutôt peur qu'en agissant ainsi on abuse d'eux ou qu'ils soient constamment obligés de se surpasser, ce qui est absolument faux.

Lorsqu'un fauve s'est vu emprisonné dans une cage (même dorée) durant des décennies et qu'il voit soudainement les portes s'ouvrir sur le monde, il est normal qu'il ait comme premier réflexe d'avoir peur de toute cette liberté qui lui est maintenant offerte. S'il surmonte cette peur et ose débuter l'exploration du monde en dehors de ses anciennes limites, ses facultés s'aiguiseront au fil des pas franchis et se décupleront suite à cette libération. Ce n'est qu'une question de temps. Il ne pourra dès lors plus jamais faire les choses à moitié ou avec tiédeur. Il sera impétueux et donnera toujours le maximum en tout. Ses élans seront inimaginables et, vous pouvez le deviner, particulièrement dérangeants pour les autres fauves encore en captivité qui le regardent, le chanceux, s'éloigner de sa prison. N'ayons jamais peur de nous et de nos forces latentes. Allons courageusement au bout de nous-mêmes. La peur de soi a malheureusement comme source la peur d'être *trop* heureux, d'avoir à payer la note par la suite. Personne n'a et n'aura jamais à payer pour ses élans de passion de vie.

Puis quand tu auras fini d'être fin
Juste pour qu'on t'aime un tout petit brin
C'est là que tu vas attirer
Tous ceux qui méritent vraiment de t'aimer

« Tu désires être aimé ? Contente-toi donc de faire tout ce que les autres te demandent, sans poser de questions. Fais tout en ton pouvoir pour qu'on n'ait jamais rien à te reprocher. Sois gentil avec tout le monde et ne démontre surtout pas ta colère devant les autres. Sois belle et tais-toi, etc. » Ces phrases vous disent quelque chose ?

N'est-ce pas dans cette énergie de soumission et d'oubli total de soi que plusieurs d'entre nous ont été éduqués ? N'est-ce pas pourquoi nous nous sommes endormis à force de ne jamais pouvoir être soi, sans contrainte ? Lorsqu'on s'éveille à la passion de vivre, on cesse, dans la mesure du possible, de faire ce qu'on n'aime pas. Ceci n'est pas de l'égoïsme, entendons-nous bien, mais plutôt de l'amour et du respect global de soi. Cette attitude dérange évidemment notre entourage, mais comme le dit le dicton : « on ne fait pas d'omelettes sans casser des œufs ». Entendre plus fréquemment des « non » sortir de notre bouche dérange aussi les habitudes de nos amis. Mais peut-être ont-ils à apprendre à le faire plus souvent eux-mêmes, qui sait ?

Un jour, un homme très sage m'a dit ceci : « André, tu dois apprendre à dire non, sans toutefois fermer ton cœur. C'est une des choses les plus difficiles à réaliser dans la vie ». Quelle vérité venait-il de me servir ! Je profite de l'occasion pour vous refiler à mon tour cette perle de sagesse. On peut refuser de faire quelque chose qui ne nous tente pas, mais on peut le faire sans agressivité et en ne cessant pas d'aimer l'autre pour autant. Si, par exemple, vous assistez une personne malade à l'hôpital, et qu'après deux jours passés à son chevet, elle vous demande en larmes de rester encore auprès d'elle, que ferez-vous ? Céder à son chantage affectif et aller contre votre volonté en vous sentant coupable de la

64

laisser ? Ou lui dire non du fond de votre cœur, lui expliquant que vous êtes fatigué, que vous devez penser à vous avant tout et prendre soin de votre santé autant qu'elle ! Si vous laissez votre cœur bien ouvert, toutes vos décisions en seront également teintées. C'est la culpabilité qu'on entretient qui engendre le doute, la colère, l'agressivité et le remord.

En cessant de faire des choses juste pour se faire aimer, on amorcera un grand ménage autour de soi. Ceux qui profitent de nous depuis long-temps se verront menacés. Ils se rebelleront et tenteront de nous faire sentir mal à l'aise, nous menaçant même de nous retirer leur amitié. S'ils agissent ainsi, c'est probablement qu'ils ne la méritent pas. La loi des affinités fait que plus on se respecte, plus on respecte aussi les autres et plus on attirera vers nous des gens respectueux.

« C'est là que tu vas attirer tous ceux qui méritent vraiment de t'aimer ». Oui, un jour vous aurez développé suffisamment d'amour de soi pour clamer cette phrase la tête haute et avec fierté. Un objet pré-cieux n'est-il apprécié à sa juste valeur que par les vrais amateurs d'art ? Tandis que les autres passeront distraitement à côté sans même le regar-der. Plus vous éveillerez le rayon divin en vous en attisant votre passion de vivre, plus vous deviendrez sélectifs au rayon de vos amitiés. Ce faisant, ce ne sont plus les profiteurs qui foisonneront sur votre route, mais les vrais amateurs de perles, tout comme vous. Vous saurez alors vous appré-cier mutuellement.

Arrête d'être beau, arrête d'être fin
T'aurais pas le goût de te prendre en main
Quand t'es sérieux, t'es emmerdant
Mais quand tu t'mets à jouer, t'es si marrant

On vous a déjà dit cette phrase : « Tu n'aurais pas le goût de cesser de jouer à la victime et commencer à te prendre en main ? ». Mais, qu'est-ce que c'est exactement *se prendre en main* ? Cela consiste à ne plus laisser les évènements, les gens et leurs croyances contrôler notre vie. Se prendre en main, c'est décider de se choisir, sans compromis, mais avec tolérance aussi. Personne n'est fait pareil. Il est vrai que lorsqu'on vit sous la tutelle des autres, notre existence peut nous sembler sécurisante. Aucune décision à prendre, sinon celle de suivre docilement le troupeau sans broncher, en prenant bien soin de faire le moins de bruit possible. Quelle vie excitante, n'est-ce pas ? Bof...

Mais il ne faut pas se faire d'illusions. Lorsque le petit mouton noir sort du groupe, il est aussitôt pointé du doigt. Non pas par le berger, comme on serait porté à le croire, mais par tous les autres moutons qui bêleront alors très fort pour lui faire changer d'idée et le ramener vite au bercail. Se prendre en main, c'est sortir volontairement du troupeau, la tête haute et, dès lors, se fier totalement à son discernement pour décider par soi-même ce qui est bon ou non pour nous. C'est en même temps choisir une vie trépidante et remplie de surprises au lieu de se laisser sombrer encore plus profondément dans notre sommeil de jour en jour. Avez-vous remarqué à quel point les gens endormis sont à priori sérieux et ternes, sans humour ? Dans leur léthargie, ils ont cessé de s'amuser, ils ont oublié. Ils travaillent pour gagner leur vie – comme si la vie avait besoin d'être gagnée – drôle d'expression n'est-ce pas ? Ils œuvrent dans la société pour acquérir l'estime des autres et avoir le sentiment illusoire d'être utiles. D'ailleurs, *être utile* ne signifie-t-il pas servir, se tenir sous la tutelle de quelqu'un pour son bon plaisir ? Quand on s'éveille à la passion de vivre, on prend goût à faire des choses inutiles, expérimentant ainsi la non permanence des choses. C'est ce que pratiquent les tibétains avec leurs *mandalas* en poussière de pierre colorée qu'ils prennent des mois à fabriquer et quelques secondes à détruire aussitôt qu'ils sont terminés, pour en recommencer un autre par la suite.

Les passionnés de la vie gardent l'étincelle bien allumée dans leurs yeux et le sourire aux lèvres. En dédramatisant la vie, ils apprennent à faire des choses sérieuses sans se prendre au sérieux. Ils préfèrent rire leur vie au lieu de la pleurer. Ils ont aussi compris que la vie est un grand jeu. Et quand on joue juste pour le plaisir de jouer, on ne cherche qu'à s'amuser. Qu'on gagne ou qu'on perde, cela ne revêt aucune importance.

La majorité des êtres de grande sagesse que j'ai rencontrés jusqu'ici se sont pratiquement toujours avérés être des boute-en-train invétérés munis d'un sens de l'humour aigu. Ils marient avec dextérité leur côté enfant qui ne cherche qu'à s'amuser et leur côté sage qui devient très sérieux quand il le faut, mais jamais trop longtemps. Un parfait dosage de sagesse et de folie, voici ce qui caractérise le passionné de vie digne de ce nom.

Je crois sincèrement que l'humour est le nid douillet de l'amour. D'ailleurs, ces deux mots « amour et humour » ne s'écrivent-ils pas quasiment de la même façon ? Ils commencent différemment, certes, mais ont la même terminaison. Bien que le rire soit parfois mal vu dans les milieux bien pensants, chez les êtres conscients par contre, il devient une condition sine qua non. Une journée sans rire est une journée perdue.

Arrête d'être beau, arrête d'être fin
Arrête d'être le petit tapis des copains
Si tu apprenais à dire non
Tu leur montrerais que t'es pas si con

Il vous est peut-être arrivé de voir des êtres qui furent très soumis durant une longue période de leur vie se réveiller et devenir du jour au lendemain de vrais rebelles. J'en vois sourire… Peut-être est-ce votre cas ? Le plaisir d'expérimenter les extrêmes est le propre de l'humain à la recherche de son équilibre. Devenir passionné de la vie, comme on l'a vu précédemment, consiste à cesser progressivement de suivre les autres et emprunter enfin sa propre route. C'est aussi d'arrêter de servir de petit tapis sur lequel certaines gens s'attardent et essuient leurs pieds au besoin. Vous voyez l'image dans votre tête, n'est-ce pas ? Ces personnes se servent du paillasson de service pour y déverser tous leurs ennuis et se débarrasser de leurs saletés, au nom de l'amitié évidemment, clamerontils pour gagner votre confiance. Ensuite, elles continueront leur route gaiement, soulagées de leurs malheurs et remplies d'une toute nouvelle énergie, celle du tapis… évidemment.

Mais que fait la petite carpette pendant ce temps-là ? Croyant se faire aimer en se prostituant ainsi, elle absorbe la dèche des autres et à la longue, se met à croire que c'est sa mission sur terre. Personne, et j'insiste sur le mot « personne », n'a à prendre quelque souffrance ou saleté des autres sur son dos. Vous savez, ceux qui font consciemment ou non ce travail d'absorption du malheur des autres n'agissent que par besoin d'amour. « Essuyez-vous sur moi, tout le monde, je suis capable d'en prendre. Je suis fort, vous verrez. Surtout si vous me donnez de l'amour en retour. Sinon, je mettrai ça sur le dos de l'amour inconditionnel – il a le dos large celui-là. Si vous m'aimez, je prendrai volontiers sur mes épaules tous les fardeaux dont vous n'avez plus besoin. »

Mais ce jeu est dangereux, car un jour le petit tapis de service est tellement imbibé de la saleté des autres, qu'il se croit lui-même être cette saleté. C'est alors qu'il perd son identité et meurt à lui-même. N'a-t-on pas autre chose à faire ? Si vous voulez mon avis, ne permettons plus à quiconque, parents, amis, enfants, etc. de nous utiliser ainsi comme de vulgaires paillassons. Il faut s'habituer à dire un « non » ferme et sans équivoque à tous ceux qui nous prennent pour des éponges. En fait, ne nous leurrons pas, s'ils le font c'est tout d'abord parce que nous leur en donnons la permission. En refusant catégoriquement de se rabaisser pour eux, ils nous laisseront tranquille. « En disant non, on devient moins con… »

Et ne vous en faites surtout pas pour ces gens à qui vous refuserez désormais de vous piler dessus. Ils se trouveront rapidement un autre tapis pour absorber leur peine. Lorsqu'une victime perd une épaule sur qui elle pouvait jadis pleurer, elle a tôt fait de s'en trouver une autre, plus compatissante cette fois. Et il y a une flopée de candidats en manque d'amour pour appliquer à ce poste, croyez-moi ! Donc, apprenons à dire non à ces victimes qui refusent d'admettre leur degré de responsabilité dans tout ce qui leur arrive. En agissant ainsi, nous leur rendrons service…

Arrête d'être beau, arrête d'être fin
Sors de ta tête, descend vers tes reins
Tes vieux principes ne sont pas sex... citants
Et si tu t'laissais aller plus souvent...

La redécouverte de la passion de vivre passe par la ré-appropriation de son propre corps, par l'expression renouvelée de sa sensualité et, par conséquent, de sa sexualité. Pendant longtemps, on nous a incité à grands coups de sermons moraux et insipides à renier notre corps et combattre ses pulsions, reléguant ainsi aux oubliettes ses besoins fondamentaux qui ne peuvent être mis de côté sans atteinte à la santé. Le docteur Wilheim Reich, qui se distingua auprès du non moins célèbre Sigmund Freud, fit de nombreuses recherches en psychanalyse sur la sexualité et sur l'orgasme en particulier. Il découvrit notamment qu'au moment de l'orgasme se libère une énergie vitale et explosive qui nettoie le corps au complet. Il affirme aussi que cette énergie n'est pas confinée au seul plaisir sexuel. Le blocage de la libre expression de l'orgasme a pour effet une augmentation des tensions et des névroses. À la longue, ces blocages s'inscrivent dans le corps sous forme de retenues émotionnelles et physiques créant ce qu'il appellera une cuirasse caractérielle.

Certains grands initiés ont sûrement réussi à sublimer leur sexualité tout au long de l'histoire – je n'en connais pas personnellement – mais, ils étaient sûrement prêts à cela, ce qui n'est pas le cas de la majorité des candidats en liste. Leur processus de sublimation sexuelle a probablement pris des décennies à s'amorcer, peut-être même des vies. De plus, il s'est fait tout naturellement, au moment propice, celui choisi par le corps lui-même. À mon humble avis, cette sublimation de la sexualité ne peut pas se faire par des techniques mentales, encore moins par l'entremise d'une chasteté imposée par une philosophie ou une religion.

Lorsqu'on touche à la passion de vivre, il ne faut pas s'étonner que ce soit la pulsion sexuelle qui s'éveille en premier. La sensualité en général s'accentue et les orgasmes se vivent avec beaucoup plus d'intensité. En fait, il est bien normal qu'il en soit ainsi, car la première porte énergétique du corps est le chakra de base, une entrée d'énergie située entre les jambes. Ce centre est immédiatement suivi par le chakra sexuel (émotionnel) qu'on retrouve plus haut, à une distance d'environ deux doigts sous le nombril. On aura beau prier comme un saint et méditer toute une vie assis dans la position du lotus pour que s'opère magiquement l'ouverture de tous nos chakras, si la première porte est fermée, comment croyez-vous que les autres pourront s'ouvrir ? Par l'opération du Saint-Esprit ? J'en doute…

Mais qu'est-ce qui empêche donc ce centre sexuel de s'ouvrir pleinement et de se maintenir en bon état ? Eh oui ! Vous l'avez sans doute deviné. C'est encore cet illustre mental truffé de ses principes moraux et de ses innombrables croyances limitatives qui, du haut de son trône, prône fièrement la modération ou pire, l'abstinence comme secret de l'illumination. Et comme cet imposteur gère fermement et avec dextérité les plans émotionnel et physique, il leur fera gober n'importe quelle idiotie en appuyant ses dires sur des écrits dits sacrés ou sur les propos de gourous ou de dirigeants religieux tous aussi frustrés les uns que les autres.

La passion de vivre ne se vit pas dans la tête, mais bien dans le corps qui est la base « terrestre » de l'être, pourrait-on dire. « Sors de ta tête, descend vers tes reins », dit ironiquement la chanson. Comme tout ce qui est vivant, l'énergie sexuelle a besoin de circuler pour ne pas stagner, car elle est le feu qui attisera tous les autres centres énergétiques du corps. Une sexualité bien vécue, sans culpabilité ni déni de soi-même, est ce qui a le plus de chance de raviver la passion de vivre chez l'être humain. Ces quelques lignes de la chanson nous rappellent qu'il faut être fidèle à ses pulsions, cesser de se mentir sur nos désirs profonds et assumer qui l'on est sexuellement, sans honte ni culpabilité.

Dès que nos vieux principes chèrement acquis deviennent obsolètes, dès qu'ils ne sont plus excitants, c'est qu'ils ont besoin d'être changés ou transformés. Le principe est simple : de la même façon que le corps nous fait savoir par la faim qu'il est en manque de nourriture, lors-qu'il a besoin de sexe, il déclenche des pulsions libidinales. Si on fait la sourde oreille, au nom de la morale et de principes établis, il se rebellera violemment tôt ou tard comme un enfant insatisfait. Nos pulsions ne sont pas nos ennemies, elles sont au contraire des messagères nous faisant part de l'urgence des besoins essentiels qu'il est nécessaire de combler pour notre survie, et cela à tous les plans. La passion de vivre, c'est la passion de jouer, mais également celle de jouir. D'ailleurs entre ces deux mots, jouir et jouer, n'y a-t-il pas qu'une petite voyelle de différence ?

Arrête d'être beau, arrête d'être fin
C'est si bon d'agir en crétin
Faire des grimaces, faire le méchant
Faire toutes sortes de choses qui n'ont pas de bon sens

À l'aube de l'an 2000, je m'amusais à souhaiter à mes amis de devenir un peu plus délinquants au cours du nouveau millénaire. Certains semblaient surpris de mes vœux de nouvelle année plutôt originaux, mais la plupart acquiesçaient par un oui retentissant ou en installant au coin de leurs lèvres un subtil rictus qui en disait long sur leurs intentions.

Vous connaissez sûrement de ces gens du genre « cocotte-minute », qui savent si bien accumuler la pression à l'intérieur d'eux, qu'ils risquent d'exploser à tout moment comme un volcan, détruisant tout ce qui se trouve aux alentours. Pour éviter que ce genre de cataclysme ébranle trop souvent notre univers, il devient utile, voire nécessaire, de laisser s'échapper de nous la vapeur de nos frustrations accumulées en s'éclatant de temps en temps. Faire le crétin, défier le bon sens, dépasser les interdits, faire toutes sortes de choses qui, en temps normal, n'ont pas leur raison d'être, sont des moyens précieux pour y arriver. (Note : Si vous le faites ne dites surtout pas que c'est moi qui vous l'ai suggéré… ah ! ah !)

Certains sont si profondément ancrés dans leur rectitude qu'ils ont malheureusement besoin d'alcool ou de drogue pour pouvoir s'adonner à ce genre d'activités hors norme, au lieu de simplement se le permettre à l'occasion. C'est pourquoi, le passionné de vie trouvera un malin plaisir à faire régulièrement des choses contraires à la bienséance, au « politically correct », au bon parler, ou au bon tout-ce-que-vous-voudrez ! L'important, c'est d'habituer son corps et son Esprit à vivre des choses différentes. Essayez ça, éclatez-vous, même si autour de vous cela suscite de la controverse ; ça apportera du piquant à votre vie, ce qui la rendra, par le fait même, moins ennuyante, donc plus passionnée.

Arrête d'être beau, arrête d'être fin
Arrête d'avoir le cœur sur la main
Si tu commençais par t'aimer
Au lieu de passer ton temps à tout donner

Un jour où je m'adonnais à mon passe-temps favori : la déprime, je voyais mon estime de soi baisser à vue d'œil. Quand elle fut à son plus bas niveau, je rencontrai une dame merveilleuse qui me dit ceci : « Donne-toi autant d'amour que tu peux si bien en donner aux autres ». Cette phrase choc m'est restée dans la tête et surtout dans le cœur durant des années. Aujourd'hui encore, je me la répète régulièrement. Il est tellement plus facile de donner sans compter à autrui et ceci, dans le dessein inavoué de se faire aimer, que de SE donner à soi, sans compter. Combien de gens soulagent leur conscience en donnant largement à des associations humanitaires ou en souscrivant à des campagnes de charité pour venir en aide à des gens dans le besoin ? Certes, le principe est louable, j'en conviens. Loin de moi le désir de dénigrer ces gestes. Mais ce qui est intéressant de comprendre, c'est ce qui motive réellement ces élans de charité. La plupart des généreux bienfaiteurs évoqueront le fait qu'ils veulent à aider leur prochain dans le besoin. Mais sous ce prétexte faussement désintéressé se cache habituellement un profond sentiment de culpabilité, un certain remords d'être plus riche et favorisé que les autres.

« Si je donne aux pauvres, je me sentirai moins coupable d'être riche », se cache derrière moult élans de générosité. En plus des avantages fiscaux... Encore une fois, je ne dis pas qu'il faille cesser de faire ce genre de dons, mais au moins, qu'on le fasse en toute conscience et en n'essayant pas de se mentir à soi-même. Si donner nous procure du bonheur, alors faisons-le pour nous d'abord, tout en aidant autrui. Comme le proclame un slogan concernant la consommation de boissons alcooliques : « la modération a bien meilleur goût ». Il est rare que le passionné de vie dilapidera son argent et son temps au nom de la charité envers le prochain. S'il le fait, il sera par contre aussi généreux à son endroit qu'envers les autres. Car, en aimant passionnément sa vie, il accordera autant d'importance à son existence qu'à celle des autres. Au lieu de passer son temps à tout donner pour se donner le sentiment illusoire de ne pas abuser de ce que la vie lui offre, il en abusera le premier.

Certains s'indigneront en lisant ces lignes, les traitant d'incitation à l'égoïsme. Mais, entendons-nous bien, ce n'est pas d'égoïsme dont il est question ici, mais d'amour de soi. L'égoïsme n'apparaît dans le décor que lorsque l'amour de soi devient nuisance aux autres. Ce qui laisse une très grande marge de manœuvre. En effet, l'être éveillé a compris que la meilleure façon de transmettre le bonheur, c'est en se l'offrant tout d'abord à soi-même, pour le rayonner ensuite autour de soi. La meilleure façon de faire entrer un rayon de soleil chez les autres n'est-il pas de briller soi-même si fort que notre lumière imprégnera tous les gens qui nous croiseront ? Donc, plus vous vous donnerez d'amour, plus les autres en profiteront et auront le goût d'en faire autant s'ils s'aiment suffisamment. Ce n'est jamais en pleurant sur les malheurs des autres ou en les confortant dans leur rôle de victime qu'on leur donnera l'envie de se sortir de la dèche. Certes, l'aide matérielle apportée à autrui demeure un indispensable support en moment de crise, j'en conviens, mais il n'y a pas que ça. Il y a encore plus précieux : le contact avec un passionné. Prenez donc l'habitude de vous faire des cadeaux de temps en temps, de vous à vous. Par exemple, lorsque vous donnez un montant « x » à une cause humanitaire, mettez la même somme dans votre propre cagnotte et faites-vous plaisir.

COMME LES AUTRES

J'ai tant cherché à renier qui j'étais, que j'ai fini par me croire
J'ai tant joué à faire semblant que j'étais un autre
Qu'avec les années, je me suis pris pour cet autre

J'aimais comme les autres, je travaillais comme les autres
Je baisais comme les autres, toujours, toujours comme les autres

Coupé de mes racines, coupé de mon vrai moi
Mon arbre s'identifiait à ses branches
Je dénigrais ce qu'était ma vraie nature
Me contentant de m'enivrer du savoir d'autrui
Je gaspillais toutes mes énergies à réprimer mes passions cachées
Je perdais toutes mes forces, ma santé je détruisais
À dépenser ce que je ne possédais même pas

J'aimais comme les autres, je travaillais comme les autres...

Puis le vent de la sagesse est passé, emportant avec lui tous mes masques
Mettant au jour cette moitié de ma vie, qu'enfin j'ai osé regarder en face
Et j'ai cessé de lutter contre moi, j'ai cessé de bloquer ce flot de sève
Qui montait naturellement en moi, et je me suis mis à m'aimer comme je suis

Je n'aime plus comme les autres, je ne travaille plus comme les autres
Je ne baise plus comme les autres, non plus jamais comme les autres

Peu à peu, la terre avait recouvert mes racines
En les perdant de vue, je les ai vite oubliées
Mais aujourd'hui, le vent du renouveau me les fait redécouvrir une à une
Je dis adieu à ma sécurité, et j'ose prendre de très grands risques
Sans craindre que ma direction ne soit fausse
Désormais mon bateau filera au gré des flots

Je file au gré des flots...

JOUER À ÊTRE SOI

L a chanson intitulée *Comme les autres* est un hymne à l'acceptation de soi sous toutes ses formes, un appel vibrant à la transparence. Ça prend beaucoup de courage pour oser se regarder de l'intérieur, avec ses propres yeux, au lieu de le faire à partir du regard teinté des jugements d'autrui ? Il n'y a qu'une personne qui puisse savoir exactement qui nous sommes. Devinez qui ? SOI ! Certains ont développé avec les années un tel manque de confiance en eux et en leurs capacités qu'il leur suffit parfois d'entendre un seul commentaire négatif à leur égard pour qu'ils se remettent totalement en question. Aussi longtemps qu'un milligramme de doute subsistera en nous, nous ne pourrons profiter pleinement de notre force divine infinie. C'est pourquoi des gens très sages dans leur tête peuvent discourir autour d'eux de vibrants messages d'amour et de liberté, mais vivre leur existence sans appliquer ce qu'ils prêchent. Ils sont dans le doute – on enseigne ce qu'on a besoin d'apprendre. Et si, pour une fois dans notre vie, nous nous mettions à faire les choses comme on a envie de les faire, pas comme les autres voudraient qu'on les fasse, quel paradis on se créerait à chaque instant !

La plupart des gens vivent dans l'ombre d'eux-mêmes. Et à force de faire semblant d'être une autre personne que soi, juste pour plaire et nous faire aimer par notre entourage, pour faire bonne impression sur notre patron, pour nous montrer digne de notre salaire ou de la personne avec qui nous vivons, nous créons un personnage fictif, parfait et conforme à la norme, et nous nous identifions faussement à lui.

Le passionné de vie abandonne derrière lui ce personnage imaginaire qu'il a inventé de toutes pièces dans le passé. Il cesse à tout jamais d'être le reflet d'un idéal qu'il poursuivait vainement. Il devient alors authentique et se met à se renouveler constamment. Si vous lui demandez d'exprimer ses émotions, il le fera sans pudeur. Il vous déballera tout d'un bloc ses aspirations, ses désirs et ses rêves les plus fous qu'il n'a pas encore réalisés mais qu'il compte bien accomplir d'ici peu. Il n'appuiera plus ses dires sur ses performances du passé, sur ses titres, sur ses avoirs, sur son argent, mais bien sur lui-même en tant que personne humaine en quête d'identification à son être divin.

J'ai tant cherché à renier qui j'étais
Que j'ai fini par me croire
J'ai tant joué à faire semblant que j'étais un autre
Qu'avec les années, je me suis pris pour cet autre

L'enfant en bas âge possède ceci de plus que l'adulte : il sait qui il est et il le manifeste sans pudeur. S'il n'est pas reconnu, il le criera éperdument. Il n'a jamais peur d'exprimer sa frustration à tous ceux dont il sait capter l'attention. L'enfant est centré sur lui-même et de façon tout à fait naturelle. Peut-on le blâmer pour ça ? C'est pourquoi il réclame constamment sa place aussitôt qu'on empiète sur son territoire. Ce n'est qu'à l'adolescence, alors qu'il commence à entrer dans sa vie d'adulte, qu'il perdra contact avec ses racines. Pour devenir grand, il se conformera à ce que la société attend de lui. Il perdra parfois son identité en se fondant dans la masse et se façonnera des masques qu'il croit nécessaires à sa survie. Tôt ou tard, il finira par s'identifier à ceux-ci et oubliera qui il est vraiment. L'étincelle qui jadis animait le regard de l'enfant perdra graduellement de son intensité, jusqu'à s'éteindre parfois. La passion reliée au plaisir de jouer sa vie le quittera alors et il risquera de s'engouffrer très rapidement dans la vaine recherche de l'argent, du pouvoir et de l'illusoire sécurité. Ce n'est souvent qu'au contact d'un événement majeur, une maladie, une dépression, une séparation que l'enfant endormi au sein de l'adulte responsable s'éveillera de nouveau. Sera-t-il trop tard ?

Peu de gens se connaissent vraiment. Très peu ! Faites un test et demandez à une personne qui elle est. Il y a de fortes chances qu'elle vous réponde de but en blanc qu'elle est médecin, avocat, directeur, etc. En général, les gens s'identifient à ce qu'ils font, plutôt qu'à ce qu'ils sont. C'est ça le drame. En oubliant leur divinité originelle, ils croient qu'ils ne sont que leur corps. Si on vous posait cette même question, oseriez-vous répondre que vous êtes un Dieu incarné venant vivre une expérience humaine ? Si vous le faites, remarquez les réactions que cela provoquera chez certains de vos interlocuteurs éberlués par votre prétention. Mais, entre nous, ne serait-ce pas la réponse la plus honnête que vous pourriez leur offrir ?

J'aimais comme les autres
Je travaillais comme les autres
Je baisais comme les autres
Toujours, toujours comme les autres

Lorsqu'un jour on sort de sa léthargie et qu'on dresse un bilan de sa vie, on s'aperçoit comment on a été manipulé jusqu'ici par tous ces modèles qui nous ont été imposés, entre autres concernant la façon d'aimer ; celle de nos parents la plupart du temps. Faisons, si vous le voulez bien, un bref parcours de ces schémas préétablis. Par exemple, l'amour, ça se fait à deux, avec une personne du sexe opposé. L'hétérosexualité sera considérée comme « normale ». Sinon on doit se poser de graves questions existentielles sur notre état psychologique (souvenons-nous que l'homosexualité et la bisexualité ont été considérées longtemps comme des déviations et des maladies). Continuons. Faire l'amour doit commencer par de longs préliminaires, suivis de la pénétration et, si possible – ça c'est la responsabilité de l'homme – de l'orgasme des deux. Vous croyez que j'exagère ? À peine, dirais-je ! Beaucoup de gens, surtout de la génération des *baby boomers*, ont ainsi été éduqués sexuellement. C'était la règle d'or, hors de laquelle se cachait sûrement un problème sexuel ou de la perversion. Quelle stupidité quand on y pense aujourd'hui. Il existe probablement autant de façons de faire l'amour qu'il y a de gens sur terre. Et c'est bien ce que constate très tôt le passionné de vie qui se permet de plus en plus de regarder en face ses pulsions profondes au lieu de tenter de les occulter ou de les sublimer.

La société a instauré des règles. On dirait que tout a été normalisé pour que le troupeau avance dans une seule et même direction. Dans le travail, comme dans le sexe d'ailleurs et surtout chez le mâle, la performance est de rigueur et très valorisée. De celle-ci dépendra la plupart du temps le salaire obtenu. Le travail et l'effort sont constamment promus dans notre société. Quand on est occupé au boulot, on ne dérange pas. Vous êtes-vous déjà demandé si on était vraiment fait pour travailler ? Je serais fortement porté à croire que non. Pour le passionné de vie, le travail n'est jamais une obligation, mais plutôt un passe-temps auquel il prend plaisir à s'adonner. Il ne devient pas fainéant pour autant, mais apprend à développer le plus grand art, celui de l'oisiveté créatrice. N'est-ce pas lorsqu'on ne fait rien et qu'on ne s'ennuie pas qu'on peut le plus « être » ? Quand le travail n'est plus un jeu, il éloigne l'humain de son « ici maintenant ».

Coupé de ses racines, coupé de mon vrai moi
Mon arbre s'identifiait à ses branches
Je dénigrais ce qu'était ma vraie nature
Me contentant de m'enivrer du savoir d'autrui

J'aime bien comparer la croissance de l'humain à celle d'un arbre. Dans les deux cas, une graine est originellement mise en terre. Celle-ci contient déjà en elle toute l'essence de l'être en devenir. Bien avant de devenir un arbre en tant que tel, la graine commencera par former des racines, débutant sa croissance par une poussée par le bas, non vers le haut. Ainsi, ses racines deviendront la base de tout ce qui poussera par la suite. Comme chez l'être humain, chacune des racines contient les caractéristiques du tout (tel un hologramme). Toutes les informations nécessaires à sa bonne croissance y sont inscrites. Ses racines profondes sont, pourrait-on dire, les gardiennes de sa vraie nature, la base de tout ce qu'il sera. Puis, dès que les racines seront bien ancrées dans la terre, leur énergie de croissance sera inversée et la sève sera projetée vers le haut, formant tout d'abord le tronc, les branches, puis les feuilles. Ce qui est particulièrement intéressant dans ceci, c'est que même rendu à maturité, l'arbre cachera toujours ses racines dans les profondeurs de la terre, des racines qui sont pourtant sa source et dont lui seul ressent la présence.

L'humain suit le même processus. Durant toute la gestation, le fœtus se forme à l'abri des regards indiscrets. Son caractère, son sexe, ses aptitudes, son physique, etc. se façonnent sans que nul autre que lui n'en soit le témoin. Durant cette période, il fait germer en lui les graines de son propre jardin secret. Celles-ci fleuriront ensuite et l'influenceront pour le restant de sa vie. Lorsque tout est bien ancré dans l'énergie, l'enfant naîtra. La première pousse visible de l'arbre apparaîtra à la surface de la terre. À partir de ce moment, l'enfant grandit. Son environnement lui apprend dès lors ce qu'on attend de lui, ce que devra être sa vie sociale, comment il devra se comporter pour se faire aimer, quelle devra être son orientation sexuelle, quelle religion sera la meilleure pour lui, etc. Vous voyez le tableau ? Et il grandit, il grandit, devenant un jeune adulte, puis un adulte majeur et vacciné... Durant toute cette période précédant la maturité, tout comme l'arbre et ses branches, le futur adulte se forme un caractère artificiel au fil des jours et des croyances imposées comme la norme et la vérité absolues, non négociables. Selon ce qu'il acceptera des rôles qu'on veut lui imposer, il se parera de feuilles multiples (masques) et deviendra un jour un arbre à part entière, façonné selon son environnement et la sorte d'arbre qu'on lui a dit qu'il était. Un sapin doit se comporter en sapin, un bouleau en bouleau, un chêne en chêne. Une brebis en brebis... C'est là que l'illusion deviendra sa réalité. L'arbre s'identifiera à son feuillage, à ce qu'il montrera à son entourage, à ce qu'il finira par croire lui-même qu'il est. C'est l'ego qui prend forme alors, au détriment de l'Esprit qui s'en fout de toute façon, occupé à vivre intensément tout ça. Mais malgré tout, il ressent tout au fond de lui la présence de ses racines qui contiennent tout ce qu'il est vraiment.

L'homme est comme un arbre. Il possède en lui un jardin secret que nul autre ne peut connaître. Il le ressent constamment, surtout durant ses périodes d'isolement. C'est pourquoi il essaie tant de fuir la déroutante solitude. Mais à force de se laisser submerger par l'ego et son mental menteur, il finit par oublier ses racines profondes qui sont pourtant porteuses de sa vraie nature. À force de croire qu'il n'est que son tronc, ses branches et ses feuilles, il oublie la sève qui circule en lui. Cette sève qui contient pourtant tout ce qu'il est : ses talents, ses pulsions, son identité sexuelle, ses peurs, ses envies, etc.

En s'éveillant à la passion de vivre, l'humain ouvre toute grande sa conscience à cet état d'être latent, à cette sève qui ne circule plus en lui qu'à petits filets depuis des années. Coupé de ses racines depuis belle lurette, il en est venu à les occulter, à refuser de voir ce qu'elles contenaient. Poussé par son désir de se faire aimer et de bien paraître dans la société, il n'avait d'yeux que pour ses branches et son feuillage formés à coup d'éducation et de jugements de valeur.

Bien souvent, notre ego n'a été façonné que par le savoir et les croyances des autres. Mais rien n'est perdu au contraire, car sans qu'on s'en aperçoive et tout au long de notre sommeil apparent, nos racines – notre jardin secret – nous insufflent constamment à l'oreille leur présence et leur urgent besoin de s'exprimer. Lorsque cet appel est entendu et reconnu, la passion renaît sans qu'on ait à faire quoi que ce soit. C'est plus fort que nous. Le miracle se produit. Les vannes débloquent, les valves s'ouvrent. La sève retenue remonte en force et l'humain découvre enfin, souvent avec ahurissement, qui il est vraiment. S'il est suffisamment conscient et audacieux, il s'ouvrira totalement à cette sève vivifiante et assumera entièrement ce qu'elle transporte. Sinon, il en bloquera de nouveau le flot avec son mental et s'endormira de nouveau, plus profondément cette fois. C'est alors qu'en désespoir de cause, la maladie viendra bien souvent clouer le couvercle du cercueil.

En écoutant attentivement les paroles de cette chanson *Comme les autres*, demandez-vous ce que peuvent bien contenir vos propres racines ? Quelle est votre vraie nature ? Êtes-vous prêt à vous accepter et vous assumer comme vous êtes vraiment et non comme on a toujours voulu que vous soyez ?

Je gaspillais toutes mes énergies
À réprimer mes passions cachées
Je perdais toutes mes forces, ma santé je détruisais
À dépenser ce que je ne possédais même pas

À force de ne pas reconnaître les forces latentes emmagasinées dans nos racines, à force de refouler toutes ces pulsions qui font pourtant partie de notre nature profonde, à force de les occulter, de les réprimer et de les empêcher de s'exprimer dans le physique, on finit par s'épuiser au combat. C'est comme si, dès les premiers signes avant-coureurs du printemps, un arbre employait toute son énergie à bloquer la sève montant vers ses branches pour en alimenter les bourgeons. Vous pouvez bien imaginer qu'à ce jeu-là, l'arbre perdrait rapidement toutes sa vitalité et dessécherait à vue d'œil. Pourtant, c'est bien ce qui se passe avec nombre d'humains qui refusent de reconnaître leur vraie nature. S'ils faisaient plutôt comme l'arbre qui laisse agir la nature sans jamais résister à ses assauts, leur existence deviendrait si facile et légère. Sous la poussée des grands vents, l'arbre se contente de plier, pour se relever aussitôt que la tempête est passée. Il sait instinctivement que s'il résiste, il risque de se faire déraciner.

Nombre de personnes connaissent des maladies graves à force de lutter contre leurs aspirations viscérales à la liberté et à la simple joie de vivre. Nos talents, nos passions, nos pulsions, qui ont leurs assises au cœur de notre jardin intérieur, ne cherchent pourtant qu'à être reconnus et mis à jour régulièrement. À réprimer ses passions cachées, on se détruit à petit feu, à partir de la base.

L'arbre sait que sa sève sera naturellement poussée vers le haut en temps voulu et au moment propice. Il sait également que réprimer ce mouvement naturel mettrait sa vie en danger. Ainsi devrait-il en être pour chaque être humain qui se respecte. Ce sont nos croyances périmées et nos préjugés limitatifs qui nous incitent à renier notre nature spontanée. Oubliant de nous servir de ces forces extraordinaires stockées dans nos racines, on essaie plutôt de se renforcer par l'extérieur, en se gavant à l'excès de médicaments, d'élixirs de jeunesse et de vitamines.

Puis le vent de la sagesse est passé
Emportant avec lui tous mes masques
Mettant au jour cette moitié de ma vie
Qu'enfin j'ai osé regarder en face

Même si, durant des années, on a tout fait pour ignorer les fleurs – les roses comme les orties – de notre jardin secret, un jour ou l'autre, notre énergie vitale reprend le dessus et nous indique très clairement qu'il est temps de s'éveiller. Il arrive toujours un temps où leur subtil arôme remonte à la surface et nous redonne le goût de les regarder et de les apprécier. Personne sur cette terre ne peut se battre impunément contre sa nature première, ignorer ses forces originelles qui l'ont vu naître et le verront mourir. Aux prémices de notre éveil spirituel, les mêmes questionnements font invariablement surface. Sommes-nous sur la voie où nous désirons vraiment être le reste de notre vie ? Serait-il temps de rebâtir d'autres fondations et d'y construire un nouvel édifice qui nous ressemblera encore plus cette fois ?

Quand ce vent de sagesse qui nous force à nous poser les vraies questions se lève subitement à un tournant de notre existence, nous aurons beau avoir peur et nous terrer dans nos plus hermétiques forteresses, nous finirons toujours par céder et nous regarder enfin sous notre vrai jour. Si nous savons accepter ce défi d'être soi-même, envers et malgré tout, nos masques tomberont les uns après les autres, car ils ne seront plus nécessaires à notre survie. Les déguisements que nous empruntons selon les circonstances ne servent en réalité qu'à nous détourner de nous-mêmes. Les masques sont utiles, certes, surtout lorsqu'on se retrouve devant des gens qui en portent eux aussi, mais ils s'avèrent complète-ment inutiles entre individus conscients et éveillés. C'est pourquoi le monde des passionnés de la vie est si intéressant à côtoyer, car on n'y rencontre que des gens authentiques, fidèles à leur être profond qu'ils ne renieront jamais.

En reléguant aux oubliettes nos multiples déguisements durant no-tre introspection, nous nous donnons encore plus de chances de recon-naître toutes les fois où nous avons été infidèles envers nous-mêmes dans le passé. Accepter sans broncher et avec un certain humour ces années de tromperies durant lesquelles nous n'avons pas su nous assumer plei-nement. Redécouvrir la passion de vivre nous oblige à faire un grand ménage dans les mensonges qu'on a tenté jusqu'ici de se faire croire, à cesser de faire semblant d'être un autre, à remettre les compteurs à zéro et à se fondre dans sa propre vérité, cette fois avec une fidélité totale à soi-même.

Et j'ai cessé de lutter contre moi
J'ai cessé de bloquer ce flot de sève
Qui montait naturellement en moi
Et je me suis mis à m'aimer comme je suis

Retrouver sa passion, c'est cesser de lutter inutilement contre ses pulsions et ses envies. C'est leur permettre au moins de s'exprimer. Cela se traduira bien souvent par des talents cachés jusqu'ici qui referont surface. Le défi consistera alors à les reconnaître et les développer. Vous avez beau posséder une voiture de course super performante dans votre cour, si vous ne vous en servez pas, à quoi servira-t-elle ? Elle deviendra avec le temps beaucoup plus encombrante qu'autre chose. Alors, sautez dès maintenant dans votre voiture et allez faire un tour pour voir… Vous ne voyez que vos défauts ? Ne les dénigrez pas, car derrière eux se cachent vos plus grandes qualités.

Ce livre et le CD *Passion de vivre* seront peut-être pour vous un signal de départ pour ouvrir enfin toutes grandes les valves de votre être et laisser monter librement la sève emprisonnée depuis fort longtemps au plus profond de vos racines. À force de dénigrer la puissance infinie de notre être et de refouler notre propension au plaisir, nous avons laissé s'installer en nous une armada de frustrations qui, au lieu de nous défendre, nous empoisonne continuellement la vie. C'est en mettant les soldats de cette armée au chômage et en débloquant les valves qui laisseront monter le flot de sève jusqu'à nos branches, que nous retrouverons enfin la joie, la santé et la vie palpitante qu'on mérite. C'est lors de cette opération de déblocage que s'élèveront de nombreuses aptitudes pour venir nous faire des clins d'œil : des envies soudaines de peindre, de sculpter, de chanter, d'écrire, de parler en public, etc. « The sky is the limit ».

Vous verrez alors que vos racines sont remplies à satiété de ces talents que vous n'avez pas pris le temps ou eu le courage de développer. En s'éveillant à soi, on ranime également un éventail d'activités nouvelles auxquelles on n'a souvent jamais pensé. Évidemment, quand la sève se libère pour monter à la surface de notre conscience, tous les canaux se débouchent en même temps et cela ne se fait pas sans heurt. On peut se sentir bousculé, ressentir une certaine peur et avoir comme premier réflexe le recul. On peut avoir peur de soi, peur de ce que cette nouvelle énergie créatrice nous poussera à changer dans notre vie, peur de faire des choses auxquelles on n'aurait jamais songé auparavant. Tout cela est tout à fait normal. C'est la libération du passé qui s'enclenche et la mise au rancart de toutes les limitations qui s'y rattachent. Cela peut paraître déroutant au début, mais si on ose affronter avec courage, sagesse et humour notre peur du changement, on s'y habituera rapidement.

Au palmarès des peurs les plus dévastatrices se retrouve en tête de liste la peur d'avoir peur, suivie de très près par la peur de soi. Les forces inimaginables qu'on porte en soi peuvent parfois déplacer des montagnes si elles sont bien canalisées. Pourquoi les craindre alors ? Quant à la peur de soi, si on l'entretient, on mettra sans cesse des freins à nos ardeurs, sabotant ainsi nos moindres tentatives de croissance ; ce qui, à la longue, aura pour conséquence de tuer dans l'œuf nos passions à peine éveillées. Bien des gens céderont à ces peurs et s'arrêteront là, au seuil d'une transformation pourtant cruciale de leur vie. Ils préféreront se rendormir. Vaincre cette peur de l'insécurité et de l'inconnu est le petit pas de plus qui fera la grande différence durant toute votre existence. Avis aux intéressés…

Après avoir accueilli avec enthousiasme cette force nouvelle qui s'élève en nous, il arrive un moment où c'est l'amour de soi qui devient le moteur de toutes nos actions. « Et je me suis mis à m'aimer comme je suis ». Ce geste déterminant qui consiste à s'assumer totalement dans ce que nous sommes est probablement le plus beau cadeau que nous puissions nous offrir : s'accepter sans réserve avec nos qualités, nos défauts, notre sagesse, nos faiblesses, nos pensées d'amour et nos penchants pervers, nos besoins incontrôlables de sécurité, nos envies folles de nous envoler, nos fantasmes inavoués, nos rêves les plus fous, nos pulsions inattendues, notre propension à aimer et être aimés, nos besoins d'affection, etc. S'aimer comme il est, sans se juger de quoi que ce soit, voilà l'ultime initiation que devra traverser tout candidat aspirant sérieusement à la passion de vivre.

Nos racines sont en quelque sorte nos fondations les plus intimes, des bases que personne ne pourra jamais nous enlever, même sous la torture. Elles sont « nous », dans toute leur lumière comme dans toute leur ombre. Les tibétains m'ont enseigné quelque chose d'extraordinaire : *il* faut aimer son ombre autant que sa lumière, car les deux forment le tout que nous sommes. L'un ne peut se passer de l'autre, ni exister sans sa contrepartie !

Peu à peu la terre avait recouvert mes racines
En les perdant de vue, je les ai vite oubliées
Mais aujourd'hui le vent du renouveau
Me les fait redécouvrir une à une

Contrairement à ce qu'on pourrait généralement penser, le travail de la mémoire ne consiste pas tant à retenir les choses qu'à les oublier. Surprenant, n'est-ce pas ? En effet, pouvez-vous imaginer ce qui se passerait dans votre tête si vous vous rappeliez de tout ce qui vous est arrivé dans votre vie, de votre naissance jusqu'à aujourd'hui ? La somme de renseignements avec les émotions qui y sont rattachées serait absolument phénoménale et tout aussi intolérable. La mémoire ne garde à la conscience – je dis bien à la conscience, car tout est quand même minutieusement enregistré dans l'inconscient – que ce qui est essentiel pour la survie de l'individu dans la période précise qu'il traverse. Tout le reste est remisé dans des tiroirs cachés pour consultation future. Cela explique pourquoi certains événements malheureux seront occultés par une personne durant une grande partie de sa vie, mais remonteront à la surface plusieurs années plus tard, au moment précis où ils seront prêts à être réglés.

Il en est ainsi de notre nature profonde. Si on s'efforce de la nier constamment, on finira par l'oublier (consciemment). Avec les années, les racines qui étaient pourtant si visibles au début de notre existence se recouvreront lentement de la terre de notre indifférence et disparaîtront peu à peu de notre vue. En ne les apercevant plus à la surface, en n'en ressentant plus les effets immédiats, on a tendance à en oublier la présence ou pire, en nier l'existence. Mais elles sont pourtant toujours là, prêtes à réapparaître au moindre coup de vent dans notre vie : une maladie, la perte d'un être cher, une peine d'amour ou d'amitié, etc. C'est en s'ouvrant au « nouveau » qu'on verra nos racines se déterrer une à une. En se détachant de l'ancien et en s'ouvrant à la nouveauté, la mémoire nous reviendra. Instinctivement, on se souviendra graduellement des raisons fondamentales pour lesquelles on s'est incarné sur terre. On verra très clairement les buts qu'on s'est donnés à atteindre dans cette existence, tout ce qu'on a à dépasser ainsi que les rêves qu'on s'est mis au défi de réaliser et cela, bien avant de naître.

Le processus de découverte de nos racines est fascinant car, aussitôt qu'on en déterre une, une autre apparaît. Pas de répit. Un projet mène à un autre, un rêve débouche sur une aspiration encore plus grande, un talent caché, sur une carrière artistique, pourquoi pas ? Les découvertes de soi n'ont en ce sens pas de fin. Le nouveau se renouvelle à chaque instant et tout ce qui appartient à l'« ancien » s'efface de notre mémoire, disparaît de nos préoccupations. Car, le passé est mort et n'a plus aucune utilité. La passion ne se nourrit que de nouveau, de ce qui n'a jamais été dit, de ce qui n'a jamais été conçu, de ce qui n'a jamais été espéré. C'est pourquoi, pour l'être éveillé, tout est possible, surtout l'impossible...

Je dis adieu à ma sécurité
Et j'ose prendre de très grands risques
Sans craindre que ma direction ne soit fausse
Désormais mon bateau filera au gré des flots

L'ouverture à la vie et à la passion est accompagnée d'un rappel constant à l'insécurité. De la même façon que le sommeil est un état plutôt rassurant et inconscient, l'éveil, quant à lui, est truffé d'inconnu, un territoire inexploré qui fait peur au néophyte. Lorsqu'on s'ouvre à qui l'on est vraiment, lorsqu'on assume ce qui se cache dans nos racines et remonte en nous comme la sève au printemps, lorsque la passion de vivre s'empare enfin de nous, il n'y a plus de place pour la sécurité. C'est le prix à payer, diraient certains, mais un prix très abordable si on considère la récolte abondante qui s'ensuivra.

Dire adieu à la sécurité, c'est partir à l'aventure dans l'abandon total à notre être qui sait exactement ce qui est bon pour nous. Et qu'on ne s'y méprenne pas, cela peut se faire à n'importe quel âge, car une insécurité bien gérée réveillera en nous des forces de survie insoupçonnées. Le passionné de vie n'a pas peur des risques, car ceux-ci agissent comme des soufflets attisant son feu intérieur. Puisqu'il sait que l'échec n'existe pas mais qu'il n'y a que des gens qui ont cessé d'avancer, il se lancera tête baissée dans toute expérience qu'il considérera évolutive et en retirera toujours quelque chose, quelle qu'en soit l'issue.

Il sera également mû par la certitude que peu importe les routes qu'il décidera de prendre, celles-ci seront toujours les bonnes. Il n'y a jamais d'étourderie dont on ne peut profiter. Il n'y a que des façons différentes d'expérimenter les mêmes choses. Aucune direction n'est fausse, même si, pour un certain temps, nous nous y sentons perdu. Une voie nous attire ? Eh bien, c'est qu'elle peut nous être utile. Qu'elle soit facile ou ardue, c'est indéniablement celle qui est la plus apte à nous mener le plus loin en cette période précise que nous traversons. Donc, cessons de nous questionner sur la pertinence de nos choix. En nous laissant porter par nos intuitions, nous avons peu de chance de nous tromper.

Je file au gré des flots...

N'est-ce pas la plus belle façon de naviguer ? Un bateau utilisera le double d'énergie s'il affronte constamment les courants. Si, au contraire, il suit la direction des vents et des marées, tout en employant son énergie à éviter les écueils et se tenir au centre du cours d'eau, il pourra naviguer en paix, sans avoir à combattre quoi que ce soit pour se maintenir à flot. Ainsi circule le passionné tout au long de son existence. Existe-t-il plus agréable façon de vivre ? Jouir de tout ce qu'offre la vie, profiter du soleil, de l'air pur, des paysages, sans se battre constamment pour sa survie.

FAUT PRENDRE LE TEMPS

Faut prendre le temps avant qu'il nous rattrape
Et qu'on se mette à croire qu'un jour on en manquera

Dans sa tendre jeunesse, l'enfant court après la vie
Il joue sans cesse, il se presse, pour lui le temps est infini
Puis arrive l'adolescence, le temps des mille défis
Il s'éparpille dans tous les sens, jamais n'aura de fin cette vie

Faut prendre le temps...

Quand arrive la vingtaine, au printemps de nos amours
Nos joies copulent avec nos peines, nos nuits avec nos jours
Plus on croit devenir mature, plus le temps se fait court
Mais malgré les courbatures, on court, on court toujours

Faut prendre le temps...

Au fond, ce que la vie cherche, c'est à nous assagir
Car cette fameuse sagesse, de l'intérieur doit s'épanouir
Souvent ce ne sera qu'à la vieillesse, que la vie l'emportera
Tirant parti de nos faiblesses, pour ralentir nos pas

Faut prendre le temps...

Si on pouvait comprendre, avant qu'il ne soit trop tard
Que le temps n'est pas à prendre, qu'il n'existe même pas
Ralentir sa cadence, devenir des créateurs
Faire naître en nous la patience, cesser de compter nos heures.

PRENDRE LE TEMPS... DE PRENDRE SON TEMPS

Le temps est la chose la plus précieuse dont nous disposons. On le prend, on le perd, on l'emprunte, on en fait, on s'en réjouit, on s'en plaint même. Mais lui, il n'en a rien à cirer de ce que nous voulons en faire. C'est sa dernière préoccupation. Il se contente de passer, inexorablement, à moins que ce soit nous qui passions en lui ? Peu importe, car peut-être n'existe-t-il même pas...

Faut prendre le temps, avant qu'il nous rattrape
Et qu'on se mette à croire, qu'un jour on en manquera

Le temps n'existe que dans une perspective linéaire et purement mentale. Et comme notre cerveau ne nous donne accès qu'à ce niveau, il faut bien s'en contenter. En effet, pour pouvoir concevoir une chose, notre tête a besoin d'en voir le début et la fin. Comment admettre logiquement que quelque chose n'ait jamais eu de commencement et n'aura pas de fin non plus ? Notre matière grise n'est apparemment pas programmée pour ça. Mais, si malgré tout, cela était possible ?

Bon ! Ne nous égarons pas dans ces méandres hypothétiques pour le moment. Ne mélangeons pas les choses. Ce n'est surtout pas le temps de mettre notre cerveau en rébellion ! S'il y a une chose contre laquelle il est inutile de se battre, c'est bien le temps. Ce précieux temps lequel, au fond, est le même pour tous, qu'on soit riche comme Crésus, pauvre comme Job, mécréant ou saint comme... – inscrivez ici le nom de votre choix (ah ! ah ! ah !)

Le temps est un modèle parfait de neutralité. Il n'a aucune préférence. En fait, il est le plus fidèle témoin de la vie sur terre. Plus on découvre la passion de vivre, plus le temps devient notre ami. On apprend à en jouir à chaque instant, tout en ne perdant pas une seconde pour agir ou pour se reposer. L'être conscient bénit constamment le temps, car il est un allié inconditionnel à sa passion d'être. Si on a la mauvaise idée de se battre contre lui, c'est peine perdue. C'est comme si on décidait d'affronter un lutteur Sumo. Il nous écraserait en une seconde. Le temps gagne toujours. Un jour ou l'autre, il nous rattrape dans le tournant. Comme il est invincible, entre vous et moi, vaut mieux être dans son camp.

Notre cerveau linéaire croit mordicus que c'est le temps qui passe dans notre vie. C'est peut-être la raison pour laquelle notre tête nous incite à tout faire rapidement pour ne pas risquer de manquer de ce précieux temps. Mais, au-delà du mental et de l'émotionnel, il y a l'être, qui les contient tous. Et cet être sait pertinemment que c'est l'homme qui passe dans le temps et non le contraire. Le temps est immobile. Rien n'est vrai en dehors du moment présent. Le passé et le futur ne sont qu'illusion. Le temps immuable se concentre dans l'instant présent. Tout le reste n'est que résidu de l'ancien ou projection, tout aussi futile qu'inutile d'ailleurs, du futur . Alors pourquoi cultive-t-on un plaisir fou à se maintenir dans le faux ? Parce qu'on croit en l'illusion. En fait, avez-vous remarqué que les seules personnes qui ont peur de manquer de temps sont celles qui ne vivent pas dans l'instant présent ? Voici donc une rétrospective de l'effet du temps dans nos vies…

Dans sa tendre jeunesse, l'enfant court après sa vie
Il court sans cesse il se presse, pour lui le temps est infini

La jeunesse est impétueuse, curieuse de découvrir LA vie. L'enfant ne fait que ça, bâtir sa vie. Il court à sa découverte comme un pirate à la recherche d'un trésor, nuit et jour, souvent jusqu'à l'épuisement total. À la fin de chaque journée, ne dit-on pas d'un enfant qu'il tombe de fatigue ? La dernière de ses préoccupations est le temps. Il s'en fout, il croit en avoir à l'infini et le pire – ou le mieux – c'est que cela est tout à fait vrai. Puisqu'il se croit infini – il possède encore cette sublime vérité – il crée automatiquement l'infini dans son existence. Le moment présent est donc son terrain de jeu.

Quelle sagesse nous démontre ainsi l'enfant apparemment insouciant ! En vérité, il reflète l'idéal que devraient poursuivre tous les gens à la recherche de la moindre parcelle de passion de vivre : ne plus s'occuper du temps, se laisser être en lui, sans craindre qu'un jour ils puissent en manquer. Nous devrions tous aspirer à devenir des découvreurs infatigables des trésors de la vie et ne jamais manquer une occasion de savourer un seul instant cette précieuse denrée qui nous est donnée en abondance et à l'infini : le temps.

Puis arrive l'adolescence, le temps des mille défis
On s'éparpille dans tous les sens, jamais n'aura de fin cette vie

Aussitôt sorti de l'insouciante quoique si sage période de l'enfance, on commence dès lors à calculer son temps. L'adolescence est la porte d'entrée d'une période intense d'expérimentation du monde des émotions. Tout au long de cette phase, tout est à « vivre », les conseils des adultes ne suffisent plus à nous retenir, tout devient un défi à relever et une occasion de ressentir les choses au lieu d'obéir aveuglément aux préceptes des « grands ». On n'a pas le temps de penser, on expérimente. Ce n'est qu'après qu'on verra et qu'on fera le bilan. L'expérience des autres ne suffit plus à nous tenir en laisse. La passion, ça ne s'explique pas, ça se vit. On veut se faire sa propre idée sur tout, à tout prix. Le monde passionnel devient notre pain quotidien, on ne vit que pour cela.

Si on a des bases solides – comme entre autre l'amour de nos parents – et si on se fait suffisamment confiance, on pourra vivre cette période dans une certaine marginalité tout en assumant les conséquences de nos actions. L'oisiveté, la délinquance, l'amour à toutes les sauces, la drogue, etc. tout devient un défi à relever et une occasion de ressentir dedans ce que c'est vraiment que de « vivre ». Ce n'est qu'en multipliant ses expérimentations, et en les vivant à fond, que l'adolescent pourra faire un grand tri dans toutes ses croyances familiales, savoir vraiment ce qu'il aime ou pas et se bâtir un monde bien à lui. « Si on n'essaie pas, on ne sait pas » est alors sa devise. Encore à cette étape de notre vie, le temps a plus ou moins d'importance. Qu'on le croit interminable ou qu'on ne le voit pas passer, c'est la même chose.

Peu importe son âge, le passionné de vie se révèle être un éternel adolescent, surtout s'il n'a pas vécu intensivement cette période charnière de son enfance. Car il veut expérimenter tout ce qui ne l'a pas été suffisamment, parfois jusqu'à satiété. Ne peut-on pas y voir la véritable cause du phénomène appelé le démon du midi ? La saturation est pour plusieurs la seule voie de libération. Avant son éveil, le passionné était profondément endormi. Dans sa léthargie, s'il évitait d'expérimenter quelque chose, c'était la plupart du temps de peur d'aimer ça ou pire, de s'y habituer. Poussé par ses pulsions « êtriques », il accumulait ainsi frustrations par-dessus frustrations, jusqu'à ce qu'un événement fasse exploser le volcan. Les profonds désirs que l'on ressent parfois d'aller toucher les extrêmes en osant vivre des expériences permettant une certaine saturation, proviennent de notre être qui recherche inlassablement l'équilibre, à mi-chemin entre l'abstention et l'excès...

Quand arrive la vingtaine, au printemps de nos amours
Nos joies copulent avec nos peines, nos nuits avec nos jours

Vingt ans : le passage dans le monde adulte, le défi de faire sa place. C'est souvent à cette époque que les carapaces se forment autour de soi et que l'on commence à porter des masques pour différentes raisons. On délaisse ainsi, peu à peu, notre vraie nature, celle qui siège depuis notre naissance dans notre inconscient, Tout cela, dans le but inavoué de bien paraître et de devenir ce que la société espère de nous, ce qu'elle veut que l'on soit. Nos racines s'enfouissent de plus en plus profondément dans la terre et un jour, on les perd de vue.

Heureusement, la vie est si bien faite. La vingtaine est aussi le temps des amours, une période qui nous apporte suffisamment de joies et de déceptions, comme si la vie cherchait par tous les moyens à nous occuper. À cet âge, le temps continue à ne pas avoir d'emprise majeure sur nous. Les joies durent un moment, les peines également. Tout passe si vite. Pas de temps à perdre à pleurer trop longtemps, on vit encore en mode accéléré. Il y a tant de choses à découvrir. Mais le temps des passions tire à sa fin et le mental prend le contrôle de notre vie. Métro, boulot, dodo… Oui dodo, hélas ! À cet âge, le sommeil commence déjà à atteindre certains jeunes qui vieillissent à vue d'œil de l'intérieur, happés de plein fouet par l'appât du gain et l'attrait du pouvoir. Les esprits s'éveillent, tandis que les passions s'endorment.

Plus on devient mature, plus le temps se fait court
Mais malgré les courbatures, on court, on court toujours

Et nous voilà en moins de deux goulûment happés par le monde adulte, prisonniers du travail, des affaires, du mariage, des enfants, des responsabilités, de l'oubli de soi. Contrairement aux dernières années, on trouve qu'on a de moins en moins de temps. Les journées ne sont plus assez longues pour accomplir tout ce qu'on croit avoir à faire. Au lieu de s'arrêter pour respirer un peu et faire moins de choses, on court, on court toujours, dans l'espoir qu'au bout de la course, on aura quelques minutes de plus pour se reposer. C'est fou n'est-ce pas ? On se presse toute la journée pour avoir plus de temps le soir pour se reposer !

Malgré les messages de fatigue que ne cesse de nous envoyer notre corps, on ne se donne aucun répit, à moins que ce dernier dise « stop » et décide un jour de se payer une « bonne » maladie. Dans certains cas, il est vrai de dire que certaines maladies sont bonnes, nécessaires à la récupération de nos forces. Sans elles, on ne saurait s'arrêter. C'est de l'enfer de cette roue sans fin qu'on cherchera à s'extirper un jour pour redécouvrir la passion de vivre de notre jeunesse oubliée.

Au fond ce que la vie cherche, c'est à nous assagir
Car cette fameuse sagesse, de l'intérieur doit s'épanouir

On entend souvent dire de la part de certains détracteurs, que plus on devient sage, plus notre vie est insipide et calme. Comme si la sagesse devait nécessairement être le nid de l'ennui. Je crois sincèrement que c'est tout le contraire, ayant rencontré moi-même nombre de personnes de grande sagesse vivant de façon des plus agitées et parfois même, disons-le, dans une totale incohérence. Le mot assagir signifie *rendre plus sage*. Et la sagesse authentique se situe bien souvent à l'opposé des préceptes établis. Elle ne s'acquiert qu'à coup d'expériences, grâce aux succès, aux échecs, aux joies et aux peines pleinement vécus et en toute conscience. La passion de vivre devient alors un moteur essentiel à l'avancement de l'être humain. Elle est le carburant nécessaire à l'action, c'est ce qui la motive. Ainsi pourrait-on avancer sans crainte de se tromper, que la quête de la véritable sagesse, à l'opposé de cette sagesse artificielle qui nous est maintes fois proposée ou promise dans certains cours ou livres de croissance, ne se fait pas nécessairement par la méditation, mais par l'action. Rappelez-vous cette phrase que j'ai citée précédemment : « Si on n'essaie pas, on ne sait pas ».

La vie dans sa totalité cherche à nous assagir. On dirait même qu'elle prend parfois un malin plaisir à nous placer dans toutes sortes de situations possibles et impossibles, juste pour nous obliger à nous surpasser et voir comment nous saurons développer nos propres moyens pour nous en sortir. C'est pourquoi la jeunesse de cœur, animée par toute sa passion, se veut le nid propice à l'expérimentation. Si on sait vivre nos expériences sans culpabilité et profiter plutôt des leçons qui en sont issues, quelles qu'elles soient, au lieu de les subir comme le font les éternelles victimes, alors la sagesse viendra toute seule et s'installera petit à petit en nous. Pour le reste de sa vie, le sage n'aura qu'à aller puiser à l'intérieur de lui toutes les ressources dont il aura besoin au moment opportun, sans avoir besoin de recourir à mille et une techniques de méditation compliquées, de visualisations et d'ouverture de chakras. Il « sera » déjà ce qu'il veut être.

On se leurre quand on croit que la sagesse vient de l'extérieur, qu'elle ne peut s'acquérir que par la lecture, l'étude, les pratiques ascétiques, le refus des bienfaits de la vie, la fermeture à l'abondance, l'abstention sexuelle, le contrôle et la rétention de son énergie, etc. Ces dernières pratiques, quoique utiles pour certains à une période de leur existence, ne devraient avoir pour but que de ramener notre attention à l'intérieur de nous pour y découvrir l'omniprésence de Dieu. Que nous sommes tout et méritons tout. Que nous devons juste « être », au lieu de chercher des moyens pour ce faire. Quand on désire quelque chose, on admet inconsciemment, par la même occasion, qu'on ne le possède pas...

Lors d'un séjour en monastère tibétain, j'avais apporté au grand maître de la place un exemplaire de chacun de mes livres (onze à cette époque). J'avoue que j'avais fait ça pour l'impressionner ou lui prouver quelque chose. Il les regarde rapidement, semble apprécier on geste et soliloque avec un léger rictus : « Si quelqu'un sait quelque chose, il se contente de l'être. S'il commence à le savoir, il s'informe, il cherche. Mais s'il ne le sait pas, il l'enseigne... ou l'écrit ». Nous avons bien ri de sa réflexion qui me ramenait à moi-même. Cette maxime m'a alors confirmé qu'on enseigne ce qu'on a le plus besoin d'apprendre.

Souvent ce ne sera qu'à la vieillesse, que la vie l'emportera
Tirant parti de nos faiblesses, pour ralentir nos pas

Tirer parti de ses expériences est le plus grand secret des gagnants. Les appels à l'action n'ont pour seul objectif dans notre vie que de nous provoquer et nous forcer à agir. Il ne faut pas s'en cacher, choisir de devenir un passionné invétéré de la vie n'est pas chose de tout repos et ne fait qu'accélérer le processus expérimental qui nous conduira à dépasser nos objectifs pour la plupart inconscients. À l'opposé, si une personne passe la majeure partie de sa vie endormie, à subir son existence au lieu de la jouer, la vieillesse et ses aléas auront le dernier mot. Une maladie, un accident, une déception, un deuil, tous les prétextes seront bons pour éveiller la personne, la ramener en quelque sorte à l'intérieur d'elle, l'obliger à faire le bilan et décider si elle veut tirer profit des années passées ou se « ranger » de nouveau dans son monde illusoire. Il n'y a aucune vie qui soit dénuée de sens, quoi qu'on puisse en penser. Toute situation est vécue intentionnellement par l'Esprit qui nous habite et qui recherche l'expérimentation avant tout. Que celle-ci soit souffrante ou joyeuse, cela n'a aucune importance.

La vieillesse étant habituellement accompagnée d'une diminution des facultés physiques et psychiques, le rythme se ralentit, ce qui devient un terrain propice à l'introspection. Le vieillard cesse malgré lui de courir après le temps et se met dès lors à réfléchir sur ce qu'il a été, ce qu'il a appris, ce qu'il a donné, ce qu'il a reçu. Si cette période de voyage intérieur est bien vécue, des choses spectaculaires pourront se produire, comme par exemple, des événements et des rencontres impromptus qui rallumeront la flamme et ramèneront l'énergie de jeunesse perdue. Alors se gravera en l'être ce qu'on pourrait appeler *la sagesse du temps.*

Si on pouvait comprendre avant qu'il ne soit trop tard
Que le temps n'est pas à prendre, qu'il n'existe même pas

Opter pour la passion de vivre au détriment du statu quo, c'est accepter de se laisser imprégner entièrement par la magie du moment présent. Comme on l'a vu précédemment, le temps n'est qu'une conception limitative, quoique nécessaire à notre mental, pour conserver nos repères et avoir l'impression d'exercer un certain contrôle sur notre futur, tout en gérant du mieux qu'on peut les regrets comme les remords du passé. En fait, le temps est irréel, il est une création purement linéaire et fictive. Au-delà du plan terrestre, il n'existe plus, il n'a plus aucune raison d'être.

Prenons l'exemple du rêve. Avez-vous déjà réalisé que dès que nous nous endormons, nous sortons de l'emprise du temps ? En effet, nos rê-

97

ves peuvent être le reflet du passé ou la projection de l'avenir, et tout ça en même temps. Parfois, nous y revivons une situation déjà vécue, mais avec un scénario tout à fait différent. Certains ont aussi des prémonitions qui s'avèreront exactes et se réaliseront quelque temps plus tard, troublant d'ailleurs le rêveur non préparé à ce genre de choses. Dans ce cas, un événement qui ne s'est pas encore manifesté dans le temps linéaire, le fait pourtant dans le rêve, bien avant le temps… Pourquoi ? Peut-être parce qu'effectivement, sur un plan plus élevé de conscience, ou peut-être dans un univers parallèle, le passé, le présent et le futur se superposent, sont simultanés ? De nombreuses recherches ont été faites dans ce sens et les conclusions se sont révélées très surprenantes. L'expérience Philadelphie dont nous ne connaissons qu'une partie de l'histoire a soulevé bien des questions à ce sujet.

Tout ça pour réaliser que seul l'instant présent compte et que, par l'intensité et la conscience qu'on met à le vivre, on peut influencer autant notre futur que notre passé…

Ralentir sa cadence, devenir des créateurs
Faire naître en nous la patience, cesser de compter nos heures

Les passionnés de vie peuvent connaître des rythmes de vie très changeants, tantôt effrénés, tantôt contemplatifs, tantôt oisifs, etc. Cela est dû au fait que la passion appelle la personne qui la porte à profiter pleinement de chaque instant qui passe, à s'émerveiller soudain de tout. L'émerveillement germe en nous à partir d'un moment magique qui le déclenche et cela peut se passer autant dans la cohue que dans le calme.

La maîtrise de la sagesse consiste à pouvoir trouver la tranquillité de l'esprit et du corps peu importe où l'on est, peu importe ce qu'on fait. La plupart du temps, les gens qui développent cette aptitude à vivre pleinement et passionnément leur vie se voient contraints de ralentir leur cadence. Mais ne vous leurrez pas, même si on peut les croire paresseux, en réalité, il en est tout autrement. Car c'est dans ces moments apparents de nonchalance qu'ils trouvent le temps de créer. Ils deviennent des épicuriens et c'est dans ce jardin de sensualité et de plaisir que poussent les plus belles fleurs.

On dit aussi que tout a déjà été créé, inventé dans l'énergie et qu'il ne s'agit souvent que de se mettre au diapason approprié pour aller cueillir les idées de génie là où elles se trouvent. C'est ce qui fait que parfois, au cours de périodes précises, certains inventeurs, artistes, écrivains, sculpteurs et poètes, nous semblent si prolifiques. Mais où vont-ils donc puiser leurs idées de génie ? peut-on se demander. Ils savent simplement syntoniser la bonne fréquence, s'élever là où se trouve ce qu'ils cherchent. On a d'ailleurs l'impression que durant leurs périodes créatives, ces génies ne sont pas présents, qu'ils vivent ailleurs. C'est peut-être plus près qu'on pense de la réalité.

À l'instar des grands sages de ce monde, les véritables passionnés savent attendre et reconnaître le bon moment pour agir, ne précipitant jamais leurs actions lorsqu'ils sentent que ce n'est pas le temps. Ce qui fait que même leur patience est parfois difficile à tolérer pour leur entourage. Mais par contre, quand ils passent à l'action, tout se met miraculeusement en marche, facilement et rapidement. C'est la preuve qu'ils ont eu raison d'attendre. Conséquemment, ils se trouvent toujours au bon endroit au bon moment et cela sans effort. Ils ne comptent alors plus leurs heures. Ils vivent simplement au gré des flots...

Et si on se mettait nous aussi à en faire autant...

LA PEUR DE VIVRE

Ce n'est pas la peur de mourir qui nous ronge par en dedans
C'est plutôt la peur de vivre qui nous empêche de vivre pleinement
Le soleil a-t-il peur de s'éteindre ? Non ! On ne lui en a jamais parlé
De la mort il n'a rien à craindre, occupé qu'il est à rayonner

J'en ai assez de mourir, j'ai l'goût de vivre un peu
Cesser de décrépir, ne jouer qu'à être mieux
J'en ai assez de mourir, d'avoir toujours peur de ma fin
Sans cesse imaginer le pire, me convaincre que je ne suis rien

Ce n'est pas la peur de mourir ...

Je veux vivre cent kilomètres heure, je veux n'en faire qu'à ma tête
Me moquer de mes propres peurs, devenir c'que j'ai toujours voulu être
Je veux oublier mes anniversaires, laisser les vieux en-d'dans devenir vieux
Inverser le décalage horaire, m'imprégner de la jeunesse des vrais dieux

Ce n'est pas la peur de mourir ...

Et si l'idée de la mort n'était qu'une façon de se limiter
Si ceux qui y croient avaient tort, si le fou que je suis avait la vérité
Quand je pense à tous ces Hunzas qui vivent plus de 140 ans
Dans leur vallée de l'Himalaya, pourquoi je pourrais pas en faire autant

Ce n'est pas la peur de mourir ...

Si tu as peur des cimetières, si ton trou y est déjà réservé
Il ne te reste qu'à faire des prières, attendre de te faire faucher
Hanté par cette catastrophe, comment espérer vivre heureux
Quand le fossoyeur est si proche et qu'on doit déjà faire la queue

Ce n'est pas la peur de mourir ...

Si on vivait dans l'expérience au lieu de croire tout c'qu'on nous a dit
On attraperait toutes les chances que nous offre cette merveilleuse vie
Ce qui ne nous concerne pas ne peut jamais nous atteindre
Ce sol qui accueille nos pas ne nous donnera jamais rien à craindre

MORDRE DANS LA VIE

Ce n'est pas la peur de mourir
Qui nous ronge par en dedans
C'est plutôt la peur de vivre
Qui nous empêche de vivre pleinement

C haque fois que je me retrouve en Inde, je suis continûment fasciné de constater à quel point les hindous ne semblent pas ressentir de peur face à la mort. De la peine, oui, mais pas de la peur. Probablement est-ce dû au fait que, pour eux, la réincarnation est une croyance profonde et incontestable dans laquelle ils baignent depuis leur entrée en ce monde. Pour eux, la naissance et la mort sont les deux côtés d'une même médaille, la première étant la porte d'entrée de leur incarnation et la deuxième, la sortie. Dans le fond, cette façon de penser est bien rassurante. Qu'elle soit véridique ou non, je l'endosse car elle me fait du bien et c'est tout ce qui m'importe ! Cette acceptation de la mort a un autre effet bénéfique sur eux : ils ne semblent pas non plus avoir peur de vivre. Ne craignant point le moment ultime du grand départ, ils peuvent dès lors mettre toutes leurs énergies à profiter intensément de leur actuelle incarnation au lieu de craindre le terrible enfer ou le dormitif paradis.

Malheureusement, pour nous en occident, la réincarnation demeure un gigantesque tabou dont il ne faut pas trop parler. De ce côté-ci de la Terre, malgré les promesses de Ciel et d'Enfer qu'on nous fait, la mort demeure une grande énigme. On la craint parce qu'on ne la connaît pas. D'ailleurs, toutes nos inquiétudes ne sont-elles pas reliées à l'inconnu ?

C'est notre méconnaissance du phénomène pourtant si naturel de la mort qui nous paralyse aussitôt qu'on y pense et se transforme, par le fait même, en une aussi grande peur, cette fois, celle de vivre : peur du plaisir, peur du succès, peur de l'amitié trop profonde, peur de l'amour qui nous transporte, peur du bonheur finalement. Et l'on s'étonne de ne pas le trouver.

Le soleil a-t-il peur de s'éteindre ?
Non ! On ne lui en a jamais parlé
De la mort il n'a rien à craindre
Occupé qu'il est à rayonner

Je suis absolument fasciné par le soleil, par cet amour inconditionnel qu'il témoigne aux humains en leur donnant ses rayons, sans attendre quoi que ce soit en retour. Même pas le moindre merci, rien ! Il se contente tout simplement d'« être », de faire son travail sans broncher, ne demandant de compte à personne. Ah ! Comme je voudrais être comme lui. Permettez-moi de vous raconter une anecdote.

Un jour où je me sentais en parfaite harmonie avec moi-même, je me prélassais paresseusement au soleil et me remplissais à pleine capacité de ses chauds rayons. C'est alors qu'un intense sentiment de compassion m'envahit de toute part et fit monter à ma conscience ces paroles de sagesse, comme si c'était le soleil en personne qui m'interpellait : « André, ta seule et unique mission sur cette Terre, c'est de rayonner tout autour de toi ta propre lumière, comme je le fais depuis la nuit des temps pour tous les humains. Tu pourrais cesser à l'instant même d'écrire, de chanter, de donner des conférences, juste le fait de propager autour de toi le rayonnement que tu portes serait amplement suffisant à ton accomplissement. Applique-toi simplement à laisser se multiplier et se propager vers l'extérieur ton rayon divin qui a ses assises au centre de ta poitrine. Ce même rayon qui investit tous les humains d'ailleurs, mais la plupart l'ignorent car on leur a fait gober qu'ils n'étaient que poussière. Tu m'admires ? renchérit la chaude voix de l'astre du jour en moi, eh bien ! sois un soleil, tout comme moi. Tu n'as plus besoin de faire des choses, juste *être*. »

C'est à partir de ce moment magique que mon attitude envers le travail spirituel ardu que je m'étais donné comme mission de faire a complètement changé. La passion de vivre et de rayonner le bien-être que je ressentais à cet instant a supplanté mon entêtement à enseigner des techniques mentales et limitatives. Je me rappelai alors ce qu'un maître hindou avait répondu un jour à un groupe de journalistes qui voulaient le prendre en souricière en lui demandant si c'était vrai qu'il était Dieu : « Oui, effectivement, avait répondu le sage gourou d'un ton calme, c'est absolument vrai. Je suis Dieu, comme vous l'êtes tous. À la différence que moi, je le sais ». J'ai bien aimé cette habile réplique qui retournait aux gens intéressés la responsabilité de leur pouvoir divin.

Mais revenons-en au soleil. Je suis convaincu que la dernière chose qui doit lui passer par la tête – façon de parler – c'est qu'il pourrait un jour s'éteindre. Puisqu'il est occupé à réchauffer tout ce qui se trouve dans son champ d'action, comment pourrait-il douter une seule seconde de l'efficacité et de l'infinité de son rayonnement ? Ainsi en est-il du passionné, conscient qu'il n'a rien d'autre à faire qu'être heureux et irradier son bonheur autour de lui, dans le moment présent. En réalité, chacun d'entre nous puise sa force à la même source que les plus grands maîtres illuminés de toute la Terre. Alors, pourquoi se croire plus petit que les plus grands ? Peut-être parce que ces derniers ont simplement réalisé leur divinité. Et si cette prise de conscience était la seule chose qui nous séparait de tous les sages réalisés de ce monde, la seule chose...

Les passionnés de vie rayonnent tout naturellement cette source divine qu'ils portent consciemment en leur centre. Leurs yeux grands ouverts et l'étincelle qui y brille en permanence en sont les témoins. Vous n'avez d'ailleurs qu'à croiser furtivement leur regard ou traverser leur aura, et vous devenez aussitôt remplis de cette énergie qu'ils déploient avec tant de générosité. C'était ce qui se passait probablement aux temps du maître Jésus. Des gens obtenaient des guérisons instantanées juste en passant près de lui, sans même qu'il ait à faire ou dire quoi que ce soit.

Comme le soleil, utilisez donc de plus en plus consciemment votre rayon divin et vous verrez des miracles se produire sur votre route. Faites cet exercice amusant. Assoyez-vous calmement sur un banc de parc ou dans un centre commercial. Activez votre rayon par une simple pensée, une parole ou un mantra, puis installez un beau sourire sur vos lèvres. Remarquez alors la réaction des gens qui passeront dans votre champ magnétique. Des enfants viendront instinctivement vous voir ainsi que des adultes qui feront un détour pour passer près de vous ou vous souriront sans raison. Paradoxalement, d'autres personnes feront un détour, mais cette fois, pour vous éviter. Car, vous savez, ce n'est pas tout le monde qui peut supporter les éclats d'un soleil resplendissant, surtout s'il est habitué à l'ombre.

Comme le dit la chanson, n'ayez de cesse à rayonner tout autour de vous et reconnaissez aussi les émanations lumineuses de certaines personnes éclatantes que vous rencontrerez. Ainsi, le goût de vivre encore plus intensément chaque jour vous envahira. Les blessures seront automatiquement guéries, les maladies s'amenuiseront, les peurs s'évanouiront, les haines n'auront plus de place en vous et le pardon deviendra un mot vide de sens, car vous n'aurez plus le goût de juger.

J'en ai assez de mourir, j'ai le goût de vivre un peu
Cesser de décrépir, ne jouer qu'à être mieux

« J'en ai assez de mourir, j'ai le goût de vivre… » Et vous ? Ne vous êtes-vous pas un jour lancé cet ultimatum en pleine crise de recherche d'identité ? Ou serait-ce en cet instant même que ce cri retentit en vous ? Après des années d'ignorance, de léthargie et de soumission, le sommeil profond dans lequel on nous a maintenu devient insupportable. La passion de vivre nous envahit et, dès lors, rien ne peut nous écarter de notre quête d'éveil. À force de voir des gens autour de nous se laisser happer par la décrépitude, à force de les voir accepter docilement les stéréotypes de la vieillesse, il est normal de sentir la colère monter en nous face à ce système désuet dans lequel la majorité de l'humanité semble se noyer.

Le premier réflexe suite à ce constat est souvent la fuite : déguerpir au plus vite de ce système de fou. Mais, ce n'est pas en se sortant d'un système qu'on pourra le changer, mais plutôt en agissant en lui à la manière d'un virus informatique. Un beau virus d'amour de soi qui, cette fois, s'investira petit à petit dans la société pour ensuite la transformer à partir de l'intérieur. Si, par exemple, on veut que les gens se mettent à s'amuser de plus en plus dans leur vie, n'est-il pas essentiel de commencer par soi, de placer le plaisir de vivre au centre de nos préoccupations ? Ce ne sont pas les grands discours philosophiques qui feront bouger les choses, mais leur application dans notre quotidien. C'est pourquoi la chanson dit : « Ne jouer qu'à être mieux ». Cessons de travailler à notre bien-être, mais jouons simplement à être bien.

J'en ai assez de mourir, d'avoir toujours peur de ma fin
Sans cesse imaginer le pire
Me convaincre que je ne suis rien

La crainte de la maladie comme celle de la mort est constamment entretenue dans notre société : campagnes agressives pour la lutte contre le cancer et autres maladies graves, incitation soutenue ou obligation de prendre de l'assurance-vie ; témoignages médiatiques hautement émotionnels de gens qui ont frôlé la mort lors d'une catastrophe ou perdu des êtres chers dans un accident d'auto ou un incendie meurtrier ; enfants d'Afrique aux ventres proéminents avec en prime, des mouches tout autour, etc. On n'a de cesse de nous rappeler presqu'à tous les jours qu'on aura une fin et qu'on est bien mieux de s'y préparer tout de suite. Pourquoi alors parler d'assurance-vie quand, en réalité, c'est de l'assurance-mort qu'on veut nous vendre ? Ces rappels assidus de notre éventuel trépas font que, au cœur d'une situation difficile, on n'a pas d'autres choix que de se préparer au pire et, par conséquent, de l'attirer. Nos pensées créent, ne l'oublions jamais. Pour démentir ces prophètes de malheur, j'aime mieux souscrire au fait que nous sommes « tout », que nous sommes Dieu, que nous sommes les artisans de notre propre vie, que nous sommes le soleil central de notre propre univers. Or, le soleil n'est jamais malade. Du moins, s'il l'est, l'a-t-on déjà vu ou entendu se plaindre ? Bien sûr que non, car comme tout ce qui fait partie de la nature, il se nettoie et se guérit par lui-même.

Mais, je conviens qu'il est difficile de croire en sa divinité quand on entend depuis notre enfance qu'on n'est rien, qu'on n'est issu de la poussière et qu'on y retournera, puis qu'on a hérité d'un destin bien défini et incontournable. Il est peut-être temps aujourd'hui de renverser la vapeur. Dans ce dessein, ne laissons donc jamais personne nous convaincre, de quelque façon que ce soit, que nous ne sommes rien. En fait, précisons une chose. L'homme qui serait dénué de son âme – son essence divine – ne serait effectivement rien, mais lorsqu'il la reconnaît, il devient tout. Et si on se mettait à agir comme des dieux, au lieu de se considérer comme des poussières !

Je veux vivre 100 kilomètres/heure
Je veux n'en faire qu'à ma tête
Me moquer de mes propres peurs
Devenir tout ce que j'ai toujours voulu être

Pour le passionné de vie, chaque instant devient une occasion de découverte, d'émerveillement et de présence à soi. Il ne vit plus dans l'unique optique de servir les autres à tout prix, il vit pour lui. S'il aide les autres, il le fera par altruisme. Sa générosité sera alors sans borne car elle commencera par lui. On nous a trop longtemps rebattu les oreilles avec la croyance qu'il fallait s'oublier pour les autres. Quoi ? S'oublier ? Négliger la personne la plus importante qui soit ? Voyez où ça nous a mené. Comme on l'a déjà dit, l'égoïsme prend naissance au moment où l'amour de soi se met à nuire aux autres et à leur causer vraiment du tort, ce qui est très rare. Faire à sa tête, ce n'est pas faire preuve d'opiniâtreté, mais plutôt de respect de soi.

La découverte de la passion de vivre passe par l'élimination pure et simple des peurs qui ne nous appartiennent pas. Vous êtes-vous déjà demandé combien d'entre elles nous ont été imposées par des gens qui en étaient eux-mêmes imbibés jusqu'à la moelle ? Dès lors, la meilleure façon de régler nos peurs, c'est d'abord de cesser de les nourrir et surtout, de cesser de les combattre. Leur permettre tout simplement d'« être », en les considérant comme juste de passage dans notre vie. Le seul fait de reconnaître leur caractère temporaire nous rendra beaucoup moins vulnérables à leur emprise. Lorsque les peurs n'occupent plus la majorité de notre temps, nous pouvons dès lors nous appliquer à vivre, à utiliser toutes nos énergies à réaliser nos objectifs, à nous modeler nous-mêmes comme nous avons toujours voulu être, un Dieu créateur de sa propre vie.

Je veux oublier mes anniversaires
Laisser les vieux en dedans devenir vieux
Inverser le décalage horaire
M'imprégner de la jeunesse des vrais dieux

Le rituel qui entoure habituellement la célébration de nos anniversaires de naissance est un moyen de nous replonger dans le temps, nous rappelant par des allusions subtiles venant de nos proches, notre vulnérabilité envers le temps qui passe inexorablement, envers la vie qui s'enfuit de jour en jour. « Comment te sens-tu aujourd'hui avec une année de plus sur les épaules, nous demande-t-on entre deux souhaits bien enrobés ? Te rends-tu compte que tu as vieilli d'une décennie aujourd'hui ? » Et j'en passe…

Le passionné de vie a autre chose à faire qu'à décompter ses jours et se faire asticoter durant toute une journée avec le fait qu'il a encore vieilli. On peut certes se remémorer sa date de naissance et se remercier en ce jour particulier d'avoir choisi cette incarnation, mais c'est tout. Si cet anniversaire se veut une occasion de réjouissance, pourquoi ne pas en profiter pleinement et s'en faire une ode à la vie ? Mais si c'est plutôt de la nostalgie qui remonte à la surface, accompagnée d'une recrudescence de notre peur de mourir, cela devient un jeu dangereux qui n'amuse plus personne de toute façon et dont on est mieux de se passer alors.

En réalité, personne ne vieillit d'abord de l'extérieur. Le processus de vieillissement s'amorce toujours par en dedans et cela, peu importe l'âge qu'on a. Vous connaissez sûrement des gens dans la vingtaine qui ont déjà l'œil éteint et la mort dans l'âme. Et des septuagénaires qui, au contraire, ont de la vie qui leur sort de partout. Redécouvrir la passion de vivre, c'est tuer le vieillard latent en nous qui cherche à nous faire croire qu'il est réel et à nous entraîner peu à peu dans son processus d'extinction. C'est également de permettre à l'adolescent oublié en nous ou juste endormi, de vivre sa vie. Un adolescent qui, cette fois, aura une corde de plus à son arc : la sagesse des années. Quant à ceux qui, derrière leurs montagnes de frustrations, essaieront de nous convaincre de ne pas jouer à l'enfant, de rester un adulte responsable, eh bien ! prêchons par l'exemple. S'ils préfèrent demeurer dans cet état, laissez-les vivre et peut-être s'autodétruire par leurs concepts stéréotypés dont ils ne peuvent se dépêtrer. Personne n'a à sauver personne.

Si vous tenez absolument à célébrer vos anniversaires – personnellement j'aime bien ça – pourquoi ne pas changer les règles et inverser le décalage horaire... Donnez-vous l'âge dans lequel vous vous sentez le mieux et agissez toute la journée comme si vous aviez cet âge. Ce sera votre plus bel anniversaire, je vous le garantis. Vous imaginez ? Une journée complète à faire des folies comme lorsque vous aviez vingt ans ?

S'imprégner de la sagesse des vrais dieux, c'est se donner l'âge de son cœur et cela, à chaque jour qui passe. Peu importe qui est Dieu pour vous, il est hors du temps. Il n'a pas d'âge et il possède la sagesse infuse. Comme le passionné de vie admet qu'il est lui-même ce Dieu, sa jeunesse et sa sagesse font donc partie de sa substance première. Si nous réussissons à nous en convaincre, tout le reste se fera tout seul. Dieu attirera vers lui tout ce qui est aussi divin que lui, ce qui n'est pas peu dire !

Et si l'idée de la mort n'était qu'une façon de se limiter
Si ceux qui y croient avaient tort
Si le fou que je suis avait la vérité

Il est généralement reconnu que nous bâtissons notre futur à partir de nos pensées actuelles. Donc, plus celles-ci seront limitées, plus notre avenir le sera aussi. C'est pourquoi la vigilance est de rigueur. Il faut faire très attention aux demandes qu'on adresse parfois à l'univers, à nos guides, aux anges, à tout ce que vous voudrez. Car les petites demandes attireront de petits résultats, les grandes requêtes, de grands résultats, mais les illimitées auront une portée tout aussi illimitée.

Les demandes qu'on fait pour soi sont habituellement à la hauteur de nos aspirations. On revendique en effet ce qu'on « croit » mériter. Mais avez-vous déjà pensé que si on valait mille fois plus qu'on croit, et qu'on abandonnait toutes nos demandes limitatives pour nous concentrer sur l'infinie grandeur de notre être, quel serait le résultat ? Si nous supposons que nous sommes divins, pourquoi mériterions-nous la mort et ses limitations ? Même si, dans notre réalité linéaire, on n'y croit pas vraiment, pourquoi ne pas jouer – et je dis bien jouer, sans se prendre trop au sérieux et partir en croisade – à se croire immortel, ne serait-ce qu'une journée ?

Pouvez-vous imaginer un instant tout ce que le seul fait de croire en la mort peut nous attirer ? Vous avez probablement entendu parler de certains *sâdhus* en Inde qui auraient atteint des âges plus que vénérables, mais qu'on ne voit jamais dans les médias, car ils n'ont rien à prouver à personne. J'avoue que je n'en ai jamais rencontré personnellement – je ne peux donc pas vous en garantir la véracité – mais si c'est une légende, j'aime bien y croire. Si on commence à souscrire à la jeunesse éternelle, à s'abreuver de temps en temps à la fontaine de Jouvence du cœur, si on cesse de clamer qu'on veut vivre « vieux » et remplacer la phrase par « vivre longtemps et jeune », peut-être aurons-nous plus de chance de mettre le fameux temps de notre bord...

Quand je pense à tous ces Hunzas
Qui vivent plus de 140 ans
Dans leur vallée de l'Himalaya
Pourquoi ne pourrais-je pas en faire autant ?

Quelque part, dans une vallée perdue au cœur de l'Himalaya, il existe un peuple, les Hunzas, dont l'espérance de vie a largement dépassé la nôtre. Après un long séjour parmi eux, un docteur écossais du nom de Mac Carrison a pu constater que ces gens vivaient en moyenne jusqu'à 140 ans et jouissaient d'une santé à toute épreuve. J'en parle d'ailleurs plus en détail en dévoilant aussi leurs secrets de longévité dans mon livre intitulé *Un vieux sage m'a dit*.

Devant de tels propos, on peut évidemment choisir la facilité et s'élever en faux en criant à la supercherie. On trouvera alors toutes sortes de raisons pour étayer nos doutes. On peut aussi y croire aveuglément, sans se poser de questions. On n'est alors pas plus avancé. Par contre, le passionné de vie gardera toujours l'esprit ouvert en se disant que c'est peut-être vrai, qu'il n'en est pas sûr, mais qu'il préfère y croire. Garder les fenêtres de son esprit hermétiquement fermées empêchera toute brise nouvelle de se frayer un chemin à l'intérieur de soi et rafraîchir l'atmosphère. Les ouvrir ne peut que nous apporter des semences nouvelles. Il ne restera ultérieurement qu'à faire le tri de ce qui nous convient et de ce qui ne nous convient pas.

Si, comme je m'amuse à le croire, ce peuple de plus de 30 000 habitants, isolé du reste du monde et par conséquent de ses limitations, a su dépasser les limites du commun des mortels, pourquoi ne pourrions-nous pas en faire autant ?

Si tu as peur des cimetières, si ton trou y est déjà réservé
Il ne te reste qu'à faire des prières
Et attendre d'être fauché

En occident, la mort est devenue un tabou dont on ne peut parler qu'en de très rares occasions. La peur et l'ignorance en sont la cause. Vous imaginez ? On nous a même persuadé à coup de publicité de réserver son trou au cimetière et cela, des décennies à l'avance, pour être sûr qu'on en aura bien un. Après quoi, nous dit-on, on arrêtera de s'en faire et on l'oubliera ! Bien sûr que vous oublierez, sauf en passant près de « votre » cimetière et lorsque vous verrez déjà « votre » nom gravé sur « votre » pierre tombale avec au bas « votre » date de naissance et un espace vide « à remplir » pour celle de votre décès. Vous oublierez, qu'ils disaient ! Ce doit être particulièrement traumatisant de vivre ça.

Le passionné de vie ne perd pas de temps à penser à sa fin, occupé qu'il est à se laisser imprégner par la magie du moment présent. S'il passe dans un cimetière, il y salue les résidents et, au lieu de s'agenouiller sur le sol pour faire des prières à ce trouble-fête à grande faux qui viendra éventuellement le terrasser, il y danse en se rappelant la chance qu'il a d'être en vie et que c'est maintenant qu'il doit en profiter.

Hanté par cette catastrophe
Comment espérer vivre heureux
Quand le fossoyeur est si proche
Et qu'on doive déjà faire la queue

Si on a peur de quelque chose, c'est qu'on ne le connaît pas suffisamment. En effet, dès que l'inconnu devient connu, il cesse d'être mena-

111

çant. Je me rappelle que lorsque j'étais plus jeune, j'étais affreusement hanté par la mort. J'entretenais envers celle-ci une peur viscérale que m'avait transmis bien inconsciemment mon père. Lorsqu'il décéda, j'eus le choix de rester emprisonné dans cette peur ou de m'en évader en tentant de la décortiquer et de la connaître. Ma façon d'apprivoiser ce moment crucial de l'existence fut de lire tout ce que je pouvais trouver sur le sujet : la vie après la mort, la réincarnation, l'au-delà, la survie de l'âme, les anges, les mondes parallèles, etc. Je suivis également des formations sur l'accompagnement aux mourants. À ma grande surprise, je réalisai que plus je m'ouvrais à ces sujets, plus je voyais s'estomper ma peur de l'au-delà. Aujourd'hui, je peux parler de la mort avec une certaine aisance, même avec les gens sur le point de faire le grand pas, physiquement comme spirituellement, c'est-à-dire mourir à une ancienne vie pour renaître à une nouvelle.

Redécouvrir la passion de vivre consiste à ne plus laisser l'ignorance de l'inconnu nous projeter trop bas dans nos craintes. C'est avoir le courage de confronter ces mondes inexplorés avec curiosité, discernement et humour, en apprenant à les connaître suffisamment jusqu'à ce qu'ils deviennent nos amis.

Si on vivait dans l'expérience
Au lieu de croire tout ce qu'on nous a dit
On attraperait toutes les chances
Que nous offre cette merveilleuse vie

Vivre dans l'expérience, c'est un bien beau concept. Encore faut-il avoir le courage de s'y lancer et d'accepter tout ce que ça implique. Il est tellement plus facile et sécuritaire de s'asseoir confortablement sur ses lauriers, s'abreuver des expériences des autres et se laisser guider totalement par elles. Le problème avec les expérimentations d'autrui, c'est qu'elles leur appartiennent en propre et que les leçons tirées par chacun sont personnelles. Chaque expérience de vie apportera à son auteur quelque chose de différent. Donc, quand on se fie aveuglément à l'avis d'une personne pour se faire une idée de quelque chose qu'on n'a pas vécu soi-même, on a bien de chances de se leurrer. On peut certes se faire une idée générale, mais ça ne restera toujours qu'une croyance de base non assimilée et limitée par les acquis de la personne qui en témoigne. Pour aller au fond de toute chose, il faudra voir par nous-mêmes ce qu'il en est, donc vivre l'expérience de la manière la plus consciente possible. Je crois que si une personne n'est pas prête à expérimenter une chose, si le moindre doute persiste, il est peut-être préférable pour elle de s'abstenir. Mais, advenant le cas contraire, la meilleure façon d'en avoir le cœur net est de foncer tête baissée.

Curieusement, la passion de vivre fournit à ses « initiés » le courage nécessaire aux expérimentations essentielles dans leur vie. Mû par cette curiosité, chacun pourra capter, au moment voulu, les perles rattachées à chaque expérience, quels qu'en soient les résultats apparents. Le passionné de la vie est à la recherche du nouveau, de l'impossible et de l'inconcevable. En fait, tout ce qu'on peut imaginer mériter devient possible si on s'ouvre à l'infini et si on se donne le droit de recevoir tout, puisque notre être est déjà ce « tout ».

Ce qui ne nous concerne pas
Ne peut jamais nous atteindre
Ce sol qui accueille nos pas
Ne nous donnera jamais rien à craindre

Pourquoi renaître par la passion de vivre, sinon pour apprendre à se connaître davantage ? La connaissance de soi est la quête absolue de chaque être humain. Elle est notre indispensable outil de liberté et de bonheur. Et qui de mieux que les autres pour nous montrer notre vrai visage puisqu'ils sont nos parfaits miroirs ? Si on sait regarder les gens qui nous entourent avec notre cœur, sans les juger, on en apprendra plus sur nous que par n'importe quel autre moyen. En effet, si quelqu'un dit ou fait quelque chose qui nous dérange, au lieu de le décrier et de lui signifier qu'il a tort, si nous avions la sagesse de prendre un peu de recul juste pour voir... Si les agissements de cette personne nous perturbent, c'est qu'une corde sensible a été touchée en nous, une corde qui a bien souvent juste besoin d'être reconnue et acceptée. Ceci est un exercice très difficile à pratiquer dans le quotidien, car l'ego a horreur d'être pris en défaut et se défendra ardemment en jurant et en criant au mensonge.

Par contre, en pratiquant cet exercice du miroir dans notre vie quotidienne, on constatera que, selon le même principe, ce qui ne nous concerne pas ne pourra pas non plus nous atteindre. Une personne qui s'accepte totalement, sans se juger, pourrait entendre toutes sortes de critiques négatives à son sujet sans s'offusquer. Ne se jugeant pas elle-même, les flèches de ses détracteurs ne l'atteindront même pas ou glisseront sur elle comme l'eau sur le dos d'un canard.

Lorsque la passion de vivre investit notre être, nous nous sentons bien, n'importe où. Le contexte extérieur ne nous influence plus, du moins très peu. Je dirais même que c'est plutôt nous qui commençons à agir sur lui. Avec le temps, ce n'est pas le sol qu'on foule qui nous transmettra ses énergies, mais notre rayonnement qui s'imprégnera en lui. Nous pourrons alors nous abandonner entièrement à la route que nos pieds fouleront et cesserons de craindre quoi que ce soit, et qui que ce soit. Le soleil n'a rien à craindre de l'ombre. Il la dissipe par son seul être, car contre lui, l'ombre ne peut rien. Ainsi en est-il des passionnés de ce monde, lumineux et conscients de l'être.

INDIGO BLUES

Quand je suis arrivé par un beau jour ensoleillé sur cette Terre
Je croyais sincèrement retrouver mes amis d'autrefois
Mais je me suis plutôt vu atterrir au centre d'un immense désert
Tout seul en ayant comme unique ami mon pauvre petit moi

Je me suis vite retrouvé au cœur d'une grande école maternelle
Peuplée d'adultes qui avaient le don de se prendre un peu trop au sérieux
Qui essayaient en plus de m'apprendre toutes leurs anciennes ritournelles
Mais pourquoi bon Dieu tous ces enfants sont-ils devenus si vite si vieux

À 12 ans j'étais déjà bien emprisonné dans un tas de croyances
Que les drôles d'habitants de cette planète m'avaient imposées
Toutes ces bizarres de limites n'avaient pourtant pour moi aucun sens
Je suis simplement un oiseau de Dieu pris dans une cage dorée

Parfois il m'arrive de rencontrer quelques-uns de mes congénères
S'ils ont eu un peu plus de chance ils n'auront pas été endormis
Ils n'auront pas été drogués par les médicaments ou la misère
Mais bon Dieu peux-tu me dire qu'est-ce que je fous dans cette garderie

Je ne veux pas faire partie de cette société si archaïque
Qui ne cherche qu'à m'embrigader dans son troupeau de moutons blancs
Je voudrais bien cesser de semer tout le long de mon chemin la panique
Je ne veux que vous expliquer en quoi consiste le Nouveau Plan

---

L'autre jour j'ai ouvert la bouche et oser dire être un extraterrestre
On m'a foutu une baffe en riant et en me disant de me la fermer
Mais préparez-vous bien, ouvrez vos yeux, car je suis là et puis j'y reste
Vous savez, j'ai de grandes antennes et je ne vais pas les rentrer.

Je vais avoir une mission à faire et personne ne pourra m'arrêter
Je suis là pour éveiller les consciences, réveiller ceux qui sont endormis
Je suis là pour faire bouger les choses, même si je dois pour ça vous bousculer
Les enfants indigo sont peut-être ce que vous appelez le messie...

LES ENFANTS INDIGO

U n phénomène particulier attire l'attention de plus en plus de gens depuis les dernières années : les enfants dits « indigo », et plus récemment, les enfants de « cristal ». Je conviens que ce sont encore des étiquettes qui ne revêtent au fond que peu d'importance, mais le phénomène n'en demeure pas moins réel et particulièrement bien documenté de nos jours. Il s'agit en fait d'une nouvelle vague d'âmes qui s'incarnent sur Terre depuis quelques décennies. Doreen Virtue, auteure de plusieurs livres sur ce sujet, en dit ceci :

Cette génération de nouveaux travailleurs de la Lumière – elle parle des enfants de cristal – ne ressemble à aucune génération passée. Presque parfaits, ils indiquent l'avenir de l'humanité, dans une bonne direction. Les enfants plus âgés (approximativement de 7 à 25 ans), appelés les enfants indigo, ont certaines caractéristiques en commun avec les enfants de cristal. Les deux générations sont très sensibles, très spirituelles et ont des objectifs de vie sérieux. La principale différence entre eux est leur tempérament. Les indigos ont un esprit guerrier parce que leur but commun consiste à écraser les vieux systèmes qui ne nous servent plus. Ils sont ici pour démolir les systèmes gouvernementaux, éducatifs et légaux qui manquent d'intégrité. Pour réaliser cette mission, ils ont besoin d'un tempérament et d'une détermination à toute épreuve. Par contre, les enfants de cristal sont doux et de tempérament égal. Ils pardonnent très facilement et sont souples. Ils font partie de la génération qui bénéficie des innovations des indigos. Venus les premiers, les indigos mènent à la machette, coupant tout ce qui manque d'intégrité. Les enfants de cristal suivront ce chemin déblayé vers un monde plus sécuritaire.

Ces enfants indigo ne sont pas comme les autres, disent unanimement ceux qui les côtoient. Ils arrivent sur Terre avec une très grande sagesse déjà ancrée en eux, une sagesse assortie de facultés extrasensorielles et de clairvoyance inouïes. Ils ont entre autres une capacité phénoménale à apprendre, rapidement et facilement. Mais peut-être savent-ils déjà ce qu'on essaie de leur enseigner ? On jurerait parfois qu'ils savent d'instinct ce que leurs parents ont pris, eux, toute une vie à apprendre. Par exemple, si leur professeur prend une heure à expliquer quelque chose à l'école, ils comprendront tout après à peine cinq minutes. Le reste du temps, ils s'ennuieront, chahuteront, dérangeront les autres. En désespoir de cause, on leur mettra souvent l'étiquette d'enfants hyperactifs ou surexcités, et l'on ne trouvera d'autres moyens de répression que de les convaincre qu'ils sont malades et de les endormir avec des médicaments. Voyons donc, avec cette chanson, ce que l'un de ces enfants indigo a à nous dire…

Quand je suis arrivé par un beau jour ensoleillé sur cette Terre, je croyais sincèrement retrouver mes amis d'autrefois. Mais je me suis plutôt vu atterrir au centre d'un immense désert, tout seul en ayant comme unique ami mon pauvre petit moi.

Pour faciliter le propos et permettre à plusieurs d'entre nous de se reconnaître, nous parlerons de façon plus générale de l'« énergie » indigo. Depuis le temps où je m'intéresse au phénomène, j'ai en effet remarqué qu'on ne retrouve pas cet état d'être « indigo » seulement chez les enfants, mais aussi chez des personnes de tous âges qui en sont investies sans le savoir ou la redécouvre en même temps que l'émanence de la passion de vivre en eux. En effet, on peut avoir trente, quarante ou cinquante ans et posséder cette énergie en soi au même titre qu'un enfant de 10 ans. Il en est peut-être ainsi parce que les plus vieux sont là pour préparer le terrain aux plus jeunes. C'est une hypothèse intéressante.

Un des premiers problèmes, et non le moindre, que rencontrent les enfants indigo, c'est qu'ils croient innocemment en arrivant sur Terre, que tout le monde est comme eux. Mais la surprise est de taille, surtout quand ils entrent dans l'adolescence et qu'ils s'aperçoivent qu'en vérité, il en est tout autrement. Constatant que les adultes sont à des années-lumière derrière eux au niveau de leurs croyances et de leurs préjugés, ils se sentiront totalement incompris et auront naturellement tendance à se replier sur eux-mêmes. Ils se retireront dans leurs tranchées et s'enfermeront dans une bulle très hermétique. On les dira « dans leur monde ». En fait, ces êtres si forts, mais en même temps si fragiles, ne demandent qu'à être reconnus comme des humains exceptionnels et dotés d'aptitudes différentes des autres. Encore faut-il qu'ils se reconnaissent tels quels avant tout.

Mais, me direz-vous, comment reconnaît-on ces enfants extraordinaires ? Ont-ils une marque quelque part dans le front ou des attitudes particulières qui les différencie des autres enfants ? Évidemment que non. Ce sont des êtres comme tout le monde, mais qui se distinguent par une étincelle lumineuse, parfois teintée de tristesse, qu'ils portent tout naturellement dans le regard. S'ils n'ont pas été éteints par l'ignorance ou la fermeture de leur entourage, leurs yeux seront grands ouverts, brillants et vifs. On y sentira la sagesse au premier contact et il est important de leur en faire part. Doreen Virtue les décrit d'ailleurs ainsi : *La première chose que les gens remarquent à propos de ces enfants, ce sont leurs grands yeux pénétrants, remplis d'une sagesse précoce. Leurs yeux vous fixent et vous hypnotisent pendant que votre âme réalise qu'elle est mise à nu par les yeux de cet enfant.*

Rappelons-nous que ces enfants ont comme premier besoin d'être reconnus par leurs pairs, pour qu'ensuite ils se reconnaissent eux-mêmes. Et ne vous en faites pas, les vrais enfants indigo ne vont pas s'en enorgueillir. Bien au contraire, ils seront simplement heureux de trouver en vous un complice et ne feront rien pour épater la galerie. Les enfants indigo disent très rarement qu'ils le sont. Ils se contentent de l'être...

Je me suis vite retrouvé au cœur d'une grande école maternelle, peuplée d'adultes qui avaient le don de se prendre un peu trop au sérieux. Qui essayaient en plus de m'apprendre toutes leurs anciennes ritournelles. Mais pourquoi, bon Dieu, tous ces enfants sont-ils devenus si vite si vieux ?

Comme je le disais précédemment, une des particularités des enfants indigo, c'est qu'ils ont l'impression – fondée la plupart du temps – de ne pas être écoutés, encore moins compris. Ils ont pourtant tellement de choses à dire ! Ce n'est que lorsqu'on prend le temps de s'arrêter et de prêter une oreille attentive à leurs paroles qu'on peut constater la cohérence de leur propos et s'en enrichir. Leur langage simple et direct déroute parfois, car pour eux il est tout à fait normal de dire ce qu'ils pensent et ressentent. Et cela, que ça plaise ou non. Après quoi, ils tournent très rapidement la page, comme si de rien n'était. Terminée la discussion, on passe à autre chose ! Ils ne se doutent pas que leurs paroles puissent peser encore sur les émotions de ceux qui les ont reçues.

Pour des raisons évidentes, les enfants indigo ont le curieux sentiment que ce sont eux les adultes, et que ce sont les grands qui pensent et agissent comme des bébés. Ont-ils vraiment tort ? C'est comme si un professeur d'université était obligé de côtoyer, durant des années, des enfants de maternelle.

Quand ces sages en puissance essaient du mieux qu'ils le peuvent de s'exprimer, les adultes se sentent attaqués et, brandissant leur pompeuse morale, tenteront par tous les moyens de les remettre à leur place.

119

Mais ces tentatives seront sans succès, car ces jeunes « savent » et il s'avère que c'est impossible pour eux de cacher ou nier leur vérité. En général, les adultes se prennent très au sérieux et essaient de ramener les enfants à leurs idées souvent préconçues. Certains « grands » peuvent même devenir hautains envers les jeunes et faire preuve de condescendance.

Après quelques années de ce traitement « de haut », et à force de constater leur impuissance à se faire écouter et comprendre, les enfants indigo se replient sur eux-mêmes. Certains peuvent aller jusqu'au suicide, constatant qu'ils ne pourront rien changer dans cette société archaïque ou que le travail est tout simplement trop gigantesque pour eux. Si les adultes prenaient le temps d'écouter ce que ces enfants merveilleux ont à leur dire, au lieu de tenter de les rentrer de force dans le moule des croyances limitatives dans lequel ils ont été élevés, bien des choses changeraient rapidement dans la société.

À 12 ans, j'étais bien emprisonné dans un tas de croyances, que les drôles d'habitants de cette planète m'avaient imposées. Toutes ces bizarres de limites n'avaient pourtant pour moi aucun sens. Je suis simplement un oiseau de Dieu pris dans une cage dorée.

Très tôt, les enfants indigo remettent tout en question, dans leur vie comme dans la société. À l'opposé de la plupart des adultes, ils n'attendront pas la trentaine ou la quarantaine pour effectuer des virages majeurs dans leur existence. Comme ils voient instinctivement très clair – ce sont tous des clairvoyants, n'oublions pas – ils sont aux aguets et sont prêts à agir rapidement quand viendra le moment. Quoiqu'ils savent avoir un important travail de reconstruction à accomplir ici-bas, il peut arriver qu'ils se découragent devant leur manque de moyens et de support de la part des adultes. C'est alors que sonnera l'heure de la révolte pour ces volcans en attente d'éruption. Ils se rebelleront donc contre tous les systèmes d'éducation qui ont pour but de les modeler à la dite normalité, au « politiquement correct ». Ils ne croient évidemment plus aux religions. Celles-ci leur paraissent enfantines et dénuées de tout bon sens parce que basées sur la croyance et la dépendance en un Dieu extérieur. Les enfants indigo disent d'ailleurs, sans gêne ni doute, qu'ils sont Dieu et qu'ils sont investis de son pouvoir créateur. On les a maintes fois ignorés, ridiculisés et jugés pour ça. Une autre excellente raison pour eux de refermer leur coquille...

« Mais comment les adultes peuvent-ils penser si étroitement et être si bornés ? » se disent ces enfants qui ont vraiment peine à comprendre l'attitude des grands. Toutes les limites de leurs parents et de leurs éducateurs leur apparaissent comme autant de prisons dans lesquelles on tente de les confiner à leur tour. C'est pourquoi la chanson dit qu'ils se sentent comme des oiseaux emprisonnés dans des cages dorées. En échange de leur silence et de leur soumission, on leur offre la sécurité et un confort illusoire. « Entrez dans le rang, cessez de perturber les gens autour de vous par vos drôles d'idées, et tout ira bien », leur dit-on – sans malice et en croyant bien faire – en spécifiant que c'est pour leur bien. Mais on verrouille ainsi à double tour ces oisillons trop impétueux dans leur cage dont ils s'évaderont à la première occasion.

Parfois il m'arrive de rencontrer quelques-uns de mes congénères. S'ils ont eu un plus de chance, ils n'auront pas été endormis. Ils n'auront pas été drogués par les médicaments ou la misère. Mais bon Dieu peux-tu me dire qu'est-ce que je fous dans cette garderie ?

Les enfants indigo savent se reconnaître entre eux, même s'ils n'aiment pas qu'on les appelle ainsi. À leurs yeux, ils sont tout à fait normaux et ne veulent surtout pas être étiquetés. C'est normal, leur travail consiste justement à enlever les étiquettes, pas à en apposer d'autres. Mais il n'en reste pas moins qu'ils s'attirent les uns les autres et de façon toute naturelle. Aussitôt qu'ils trouvent une oreille attentive pour les écouter et les comprendre, ils se dévoileront sans pudeur. Mais attention ! S'ils se sentent jugés, ils vous fermeront leur porte pour longtemps.

Avis en particulier à tous les grands-parents qui lisent ces lignes. Vous êtes les plus aptes à les toucher. Écoutez vos petits-enfants, dites-leur que vous savez qu'ils sont des êtres à part et que vous êtes prêts à les aider à comprendre le monde dans lequel ils vivent. Spécifiez que vous voulez aussi apprendre d'eux. Entrez de plein gré dans ce monde fascinant de l'énergie indigo. À son contact, elle vous investira à votre tour et changera peut-être le cours de votre vie.

En général, la société n'en a rien à faire de ces belles histoires d'enfants indigo qui bousculent tout sur leur passage. C'est pourquoi elle fera tout en son pouvoir pour les faire taire, par la répression, la confrontation, ou… les médicaments. « Si vous faites comme on vous le dit, vous aurez des bonbons. Sinon, tant pis pour vous. On vous fauchera l'herbe sous le pied et l'on vous fera la vie dure. » Vous voyez le genre de message envoyé à ses petits anges ? « Pour leur bien évidemment ! » se défendront les détracteurs. Sous la pression, certains enfants craqueront et préféreront s'endormir pour rejoindre le niveau de la masse. Ils s'y fondront du mieux qu'ils pourront, mais pas tous… heureusement !

Je ne veux pas faire partie de cette société si archaïque, qui ne cherche qu'à m'embrigader dans son troupeau de moutons blancs. Je voudrais bien cesser de semer tout le long de mon chemin la panique. Je ne veux que vous expliquer en quoi consiste le nouveau plan.

Si l'enfant indigo réussit à traverser cette période importante de remise en question en acceptant son rôle de bâtisseur d'une société nouvelle, s'il ne se laisse pas anesthésier par les discours pompeux et moralisateurs de ses pairs, par les médicaments ou la répression, c'est tout seul et la tête haute qu'il sortira de la masse et commencera à agir. Pour arriver à ses fins, son défi consistera à tenir compte des autres et à réaliser que la majorité des gens ne sont pas comme lui. Par contre, s'il se marginalise, son message aura moins de chance de passer.

Le rôle des adultes « conscients » consiste à lui faire comprendre sa différence, laquelle il a tendance à oublier. Par conséquent, il devra apprendre comment la gérer et saisir le fait qu'il devra parfois descendre au niveau des autres s'il veut être entendu et compris. S'il désire changer la société, il devra l'intégrer au lieu de la fuir, pour ensuite y imposer petit à petit sa vision de la vie.

Jusqu'ici, son manque de tact lui a joué bien des tours, semant plus souvent qu'autrement la controverse sur son passage. Mais avec le support de son entourage immédiat et de la bonne volonté, il saura adapter son langage et ses méthodes d'action à ceux qu'il veut transformer. Il apprendra à agir comme un virus informatique qui doit d'abord atteindre toutes les composantes de l'ordinateur afin de pouvoir les transformer. Un virus d'amour et de sagesse dont l'objectif ultime serait de changer le monde. Rien que ça ! Changer le monde, mais de l'intérieur. Les enfants indigo ont en eux les semences du nouveau plan destiné à la Terre et ses habitants. Et si on leur laissait la chance de nous l'expliquer ?

L'autre jour, j'ai ouvert la bouche et osé dire être un extra-terrestre. On m'a foutu une baffe en riant et en me disant de me la fermer. Mais préparez-vous bien, ouvrez vos yeux, car je suis là et puis j'y reste. Vous savez, j'ai de grandes antennes et je ne vais pas les rentrer.

À force d'être mis au ban de la société à cause de leur divergence d'idées, j'ai parfois entendu des enfants indigo dire à la blague qu'ils sont peut-être des extra-terrestres incarnés sur Terre par erreur. Je me demande parfois si ce n'est pas un peu vrai. De tels dires seront évidemment tournés en dérision par ceux qui s'opposent farouchement à l'idée qu'il puisse y avoir d'autres formes de vie que la nôtre dans l'univers.

Une chose est sûre, c'est que l'énergie indigo est d'une nature bien différente de toute celle qui déferle sur la planète depuis des décennies. C'est pourquoi on peut sans trop se tromper la qualifier d' « extraterrestre ». D'une certaine façon, ces enfants possèdent en eux des capacités intellectuelles, psychiques et spirituelles inouïes. Peut-être est-ce dû au seul fait qu'ils sont convaincus qu'ils sont Dieu et qu'ils en possèdent par conséquent toute la force. Qu'elle soit fondée ou non, cette conviction profonde fait d'eux des êtres animés d'une puissance sans borne, même à l'état latent.

Si vous faites un survol de votre entourage, force sera de constater qu'un nombre de plus en plus grand de gens portant cette énergie indigo occupent des postes de commande importants. Ils émergent enfin. On les retrouvera de plus en plus au sein des gouvernements et de sociétés industrielles, entraînant à leur suite des changements drastiques dans la société. Par leurs actions concertées, ils prouveront au monde qu'ils ont raison de vouloir le changer et qu'ils ont toutes les ressources pour le faire. Ils ont de grandes antennes, dit ironiquement la chanson, et vont s'en servir pour le plus grand bien de l'humanité. Plus nous leur donnerons de place et de latitude pour agir et faire leurs preuves, plus ils pourront nous démontrer tout ce dont ils sont capables. De toute façon, avons-nous vraiment le choix ?

Je vais avoir une mission à faire et personne ne pourra m'arrêter. Je suis là pour éveiller les consciences, réveiller ceux qui sont endormis. Je suis là pour faire bouger les choses, même si je dois pour ça vous bousculer. Les enfants indigo sont peut-être ce que vous appelez le Messie…

La mission de ces enfants hors normes, qu'ils soit indigo, de cristal ou de quoi que ce soit, est d'imposer au monde actuel un nouveau rythme. Démolir au besoin les bases actuelles pour rebâtir du neuf, avec du neuf. Par leurs agissements, ces êtres merveilleux sont là pour éveiller les consciences. Encore faut-il que les gens acceptent de s'éveiller à autre chose et de se faire déranger dans leurs croyances les plus profondément ancrées. Car cette direction dans laquelle est dirigée l'humanité est encore difficile, voire impossible, à concevoir pour la majorité dormante. Nos limites conscientes et inconscientes sont encore trop envahissantes. Les enfants indigo ont des solutions nouvelles à nous proposer, des solutions qui, par contre, ne peuvent plus se marier avec l'ancien. Cet ancien qui a presque détruit le monde.

Les enfants indigo n'ont pas fini de nous bousculer. Qu'on y croie ou non, les choses sont en train de changer. Cela, personne ne peut le nier, à moins d'être vraiment endormi. Deux choix se présentent alors : s'éveiller et prendre ensemble le bateau pendant qu'il est au port et se mette à l'action, ou demeurer dans notre léthargie, en attendant bien sagement qu'un sauveur vienne faire le travail pour nous. Cet espoir artificiel consistant à nous fier à la venue d'un quelconque messie est le plus gros piège qui nous soit tendu par la plupart des religions qui prétendent détenir la vérité et désirent garder le contrôle de leurs ouailles.

Sachons que les enfants indigo ne vont pas faire les choses pour nous, ils vont juste nous enseigner comment nous sauver nous-mêmes.

À LA TIENNE MON VIEUX

J'aurais jamais cru un jour penser à quitter celle que j'aime
Que j'aurais à défier l'amour et pour une fois me choisir moi-même
Si au moins c'eut été pour une autre, pour une passion ou une envie
Mais c'était pour moi et personne d'autre, pour devenir maître de ma vie
Après un demi siècle dans ma vie, à tout bâtir sur l'avenir
À croire que la maison bâtie devait aussi m'y voir mourir
Eh bien, je m'éveille aujourd'hui, tout est balayé par le vent
Pas une larme, pas un cri, juste la peur du changement

À la tienne mon vieux, je lève mon St-Émilion
À ta santé mon vieux, tu touches enfin l'abandon

Pourquoi ne pas laisser les choses redevenir comme avant
Pourquoi dois-je m'entêter à me laisser pousser par ce vent
Pourquoi vouloir à tout prix renaître, je m'endormais pourtant si tendrement
Quand on aspire à devenir maître, le sommeil devient l'ennemi de l'enfant
C'est la peur de me tromper qui me ronge le plus par en dedans
La peur de tout abandonner, me retrouver sans attachement
Je sais pourtant bien au fond de moi que l'on ne perd jamais rien
C'est c'que notre tête veut que l'on croit, mais notre coeur lui nous veut que du bien

À la tienne mon vieux...

Je sais qu'il faut un sacré culot, pour oser s'aimer soi-même autant
C'est pourquoi j'me cris mille fois bravo et je me fous de tous les jugements
Moi seul sait ce qui est bon pour moi, moi seul avec mon petit enfant
En ce dernier je mets toute ma foi, c'est lui qui me pousse à aller en avant
À tous ceux dont les cœurs souffrent, à tous ceux qui sont déchirés
À tous ceux qui étouffent, qui manquent d'air, même à aimer
Traversez le pont sans regarder derrière, le sac au dos et le coeur joyeux
Vous y trouverez une belle lumière, l'enfant en vous en sera si heureux

FAIRE LA PAIX AVEC SOI

J'aurais jamais cru un jour penser à quitter celle que j'aime. Que j'aurais à défier l'amour et pour une fois me choisir moi-même. Si au moins c'eût été pour une autre, pour une passion ou une envie. Mais c'était pour moi et personne d'autre, pour devenir maître de ma vie.

Il existe trois niveaux d'amour, trois étapes distinctes qui peuvent se vivre subséquemment ou toutes en même temps. En voici une brève description.

Le premier de ces niveaux est celui de l'amour émotionnel, possessif et passionné, une période où l'on a constamment besoin de l'attention, de l'approbation et de l'affection de l'autre. À ce degré, on ne cherche qu'à être aimé et l'on éprouve un besoin viscéral que l'autre nous le rappelle. Vous l'aurez reconnu, c'est la bienheureuse ferveur dans laquelle baignent les tourtereaux aux prémices de leurs amours passionnés. Ils sont dans leur bulle, collés l'un sur l'autre. Ne dit-on pas d'eux et à juste titre qu'ils sont seuls au monde ?

Le deuxième niveau : l'amour de l'autre, un sentiment qu'on veut inconditionnel, sans attente. Mais il en est rarement ainsi, au détriment de notre mental menteur qui essaie par de nombreux stratagèmes de nous convaincre qu'on peut aimer inconditionnellement. À cette étape, on pratique le don de soi et l'on essaie de faire preuve d'ouverture totale à l'autre. Cela demande beaucoup d'efforts et de bonne volonté, car en s'ouvrant entièrement à l'autre, on doit aussi franchir le cap de ses propres limites pour le rejoindre sur son terrain, quel qu'il soit. S'abandonner à un monde sans limites est beaucoup plus difficile qu'on peut le croire a priori.

Le troisième niveau, le plus sublime, est l'amour de soi. Pour certains, il se vit très difficilement pour une raison bien simple : notre éducation ne nous a pas appris à nous aimer, mais plutôt à faire passer les autres en premier. Si on osait se faire plaisir, on se faisait traiter d'égoïste, surtout les femmes qui avaient comme mission de servir... L'amour de soi est notre plus grand défi. Et lorsqu'on commence à le toucher, on s'aperçoit qu'on peut compter de moins en moins sur les autres pour combler nos besoins affectifs. Et, paradoxalement, c'est alors que les vrais amis apparaissent.

Le passionné de vie expérimente ces trois niveaux d'amour en même temps. C'est normal, car ne voulant rien manquer, il s'ouvre simultanément à tout. Même si, selon les dires de plusieurs, l'amour de soi est suffisant au bonheur, pourquoi au fond s'y limiter ? Se laisser aimer, aimer et s'aimer soi-même, et cela tout en même temps, ne serait-ce pas là le véritable secret du bonheur ?

La quête d'amour de soi nous oblige par contre à faire des choix particulièrement déchirants. Comme, par exemple, celui de délaisser momentanément ou même de quitter certaines personnes qu'on aime, pour se retrouver seul face à soi-même. Ça demande beaucoup de courage et de détermination pour oser vivre l'expérience de la solitude sans y être contraint, pour voir par soi-même si on saura s'aimer suffisamment pour se rendre heureux. Cette recherche spirituelle peut prendre des mois, voire des années, avant de trouver son aboutissement. C'est pourquoi il ne faut jamais forcer le destin, juste suivre la vague. Tout se fait en temps voulu, notre seul choix étant de résister ou non.

L'amour de soi se manifeste par un désir très fort de prise en charge de sa destinée. C'est pourquoi on dit que découvrir la passion de vivre, c'est aussi devenir maître de sa vie. Cette quête d'amour de soi se fait habituellement dans la solitude, puisque toutes les énergies sont recentrées sur soi. Mais elle peut également se faire en couple, si les deux personnes ont la sagesse et la maturité de se redonner tout l'espace nécessaire à leur démarche, ainsi que la liberté totale d'être eux-mêmes en tant qu'individus. Tout est possible dans ce domaine, tout est à réinventer.

Après un demi-siècle dans ma vie, à tout bâtir sur l'avenir. À croire que la maison bâtie devait aussi m'y voir mourir. Eh bien ! je m'éveille aujourd'hui, tout est balayé par le vent. Pas une larme, pas un cri, juste la peur du changement

La précarité des choses est une réalité stupéfiante qu'on découvre au cœur de toute quête d'amour de soi et de passion : la non permanence des plaisirs, des amours, des amitiés, de tout ce qui nous allume, et tout ce qui nous éteint aussi. À l'opposé, on peut dire aussi que la permanence, c'est le début de la mort. C'est pourquoi l'éveil nous porte instinctivement à vivre intensément chaque événement, chaque relation, chaque joie, chaque déception et chaque instant, comme si c'était le dernier. L'expérience de la non permanence nous amènera par contre à développer notre capacité à se détacher de tout, nous appliquer à vivre ardemment toute situation afin de pouvoir passer ensuite rapidement à autre chose.

Ce qui ne veut pas dire qu'on devra sans cesse vivre hanté par le spectre du détachement de ceux qu'on aime, mais plutôt qu'il est préférable de les aimer passionnément et intensément quand ils sont là. Demain, on verra. C'est peut-être un des plus grands défis rattachés à la passion de vivre. Cesser de se bâtir des empires illusoires pour assurer notre avenir, mais profiter de tout, dans l'instant qui passe. Si la maison bâtie reste debout longtemps, que cela soit, ce sera merveilleux. Si ce n'est pas le cas, on en aura au moins profité pleinement le temps que cela aura duré. Les gens qui ne se méfient pas de la non permanence des choses prennent très facilement leurs « possessions » pour des acquis. Ils font instinctivement de même dans leurs relations avec les autres.

L'être endormi a une peur bleue du changement. Il s'en méfie comme de la peste, car tout ce qu'il a construit jusqu'ici a été motivé par une inlassable recherche de sécurité : travail, amour, enfants, assurance d'un paradis à la fin de ses jours, etc. Ce qu'il ignore par contre, c'est que plus on se cramponne à ceux qu'on aime, plus on risque de les perdre. Un chien tenu en laisse trop longtemps se sauvera aussitôt qu'il aura la moindre chance de se défaire de ses chaînes. Le passionné de vie sait pertinemment que s'il sait laisser quelque chose à temps, il en attirera aussitôt une autre, bien meilleure cette fois.

J'ai enseigné longtemps une danse sacrée d'origine grecque durant mes ateliers. Elle allait ainsi : trois pas en avant, deux pas en arrière, trois en avant, deux en arrière, et ainsi de suite jusqu'à ce que tous les participants aient traversé la salle. En dépit du fait qu'ils exécutaient des pas en avant et en arrière, ils avançaient quand même tous. Les trois pas en avant représentent les poussées d'adrénaline qui nous mettent parfois le vent dans les voiles. Les deux pas en arrière, c'est le repos forcé, une maladie, une perte d'emploi, ou tout autre situation dérangeante qui nous oblige à prendre du recul. Remarquez que les danseurs ne faisaient que *deux* pas en arrière, pas trois. Donc, par rapport à leur point de départ, ils se retrouvaient après chacune de leur séquence toujours plus avancés d'un pas. Quand on comprend ce principe et qu'on l'applique dans notre vie, on sait que toute situation difficile n'est qu'un tremplin pour nous propulser en avant, en temps voulu, vers un plus grand bonheur, et cela malgré tous les aléas de notre existence.

À la tienne mon vieux, je lève mon St-Émilion
À ta santé mon vieux, tu touches enfin à l'abandon

Vous êtes-vous déjà porté un toast à vous-même, juste pour vous féliciter de votre courage, de vos succès ou de vos efforts ? Un toast pour tout ce que vous aimez de plus en vous ? Vous arrive-t-il parfois de vous congratuler pour une victoire durement acquise ou pour une décision difficile que vous avez prise dernièrement ? Allez ! C'est le temps de tenter l'expérience. Ouvrez-vous une bonne bouteille de vin (pas obligatoirement un St-Émilion, quoique ce soit un excellent choix), prenez votre plus belle coupe, remplissez-la et, devant la glace, portez-vous un toast ! *À la tienne mon vieux.*

Pourquoi ne pas laisser les choses redevenir comme avant ? Pourquoi dois-je m'entêter à me laisser pousser par ce vent ? Pourquoi vouloir à tout prix renaître, je m'endormais pourtant si tendrement ? Quand on aspire à devenir maître, le sommeil devient l'ennemi de l'enfant.

Avez-vous déjà songé qu'entre un marécage et une rivière, il y a finalement très peu de différence ? Les deux contiennent de l'eau. Celle du marécage est stagnante, impure et sale, tandis que celle la rivière est en constant mouvement, se purifiant tout au long de sa route. Son eau est *vivante*. Telle est également ce qui différencie l'être éveillé (le passionné de vie) de l'être endormi (l'inconscient).

En général, plus on avance en âge, plus l'eau du marécage est tentante. La tentation de se laisser aller à la stagnation se fait sentir. La société semble d'ailleurs encourager cette façon d'être en offrant toutes sortes d'avantages à être vieux et endormis : des rabais sur les billets de cinéma (où l'on s'endort devant un écran), sur des voyages organisés (ou l'on s'endort sur une banquette de bus) ou sur toutes sortes d'activités qui permettront aux gens dits du troisième âge de s'enliser davantage dans la passivité et la soumission. Yvon Mercier, ce grand ami dont l'esprit plane d'ailleurs sur plusieurs de mes chansons – je profite de l'occasion pour l'en remercier d'ailleurs –, s'amusait à dire en conférence : « Ils nous ont tant fait rêver que nous nous sommes endormis… ». Les gouvernements de notre bonne vieille planète ont très bien compris le principe de l'asservissement de la masse, surtout celle dite d'un certain âge.

Mais revenons à notre étang. Une eau dormante, ça se corrompt rapidement, n'est-ce pas ? Les algues prennent le dessus, la vie s'en échappe et ça se met à puer. Est-ce vraiment ce que vous voulez qui vous arrive ? Prenez un instant de réflexion et demandez-vous si vous êtes actuellement un marécage ou une rivière ? Répondez honnêtement à cette question. Elle est vitale. En fait, si vous avez poursuivi votre lecture jusqu'ici, il y a de fortes chances que vous soyez une rivière, ou du moins prêts à vous jeter dans le courant...

Lorsqu'on s'amuse à faire revivre sa passion, lorsqu'on commence à s'éveiller à une existence plus ardente, il arrive que certains de nos proches qui ne sont pas habitués à notre nouvelle énergie, se sentent bousculés par notre hardiesse grandissante. Ils tenteront alors, par tous les moyens possibles et en appuyant leur démarche sur l'amour qu'ils nous portent, de nous ramener dans le droit chemin. Leur chemin, évidemment... « Redeviens donc comme avant, André, aie-je entendu plus d'une fois, tu étais beaucoup moins dérangeant pour nous. On t'aimait tellement mieux comme ça. Là, tu nous fait peur avec tes idées avant-gardistes ! » Ce sont là des commentaires qui nous affectent au début mais à la longue, on s'y habitue et on apprend même à en rire.

Aussitôt que le processus est enclenché, le vent de notre nouvelle vie se met alors à souffler de plus en plus fort dans nos voiles. La vitesse de croisière devient à un tel point enivrante que la dernière chose qu'on veut, c'est de ralentir. Notre course folle nous propulse ainsi vers de nouveaux univers. Pas question de s'arrêter en cours de route, le grand ménage se fait tout seul en nous et autour de nous. Le vent du changement nous oblige à nous débarrasser des boulets qu'on traîne depuis déjà trop longtemps à nos pieds. On peut certes perdre des amis à qui l'on commence à faire un peu peur – la lumière n'est-elle accessible qu'à ceux qui la porte eux aussi en eux ? – mais la vie est très bien faite et ne laisse aucune place au vide. On se fera de nouveaux alliés qui sauront reconnaître les perles que l'on porte et auront le goût de suivre notre exemple.

C'est souvent au cours de cette période accélérée d'éveil qu'on s'aperçoit à quel point, autrefois, on s'endormait lentement, sûrement et tendrement, dans notre confort. Quand on aspire à devenir maître de sa vie, c'est l'enfant en nous qui s'éveille et se met alors à gérer nos actes si on le laisse tenir les rênes de notre existence. L'enfant ainsi éveillé n'aura pas le goût de se rendormir de sitôt. C'est pourquoi la chanson dit que, rendu à ce point, *le sommeil devient l'ennemi de l'enfant.*

C'est la peur de me tromper qui me ronge le plus par en dedans. La peur de tout abandonner, me retrouver sans attachement. Je sais pourtant bien au fond de moi que l'on ne perd jamais rien. C'est ce que notre tête veut que l'on croie, mais notre cœur, lui, ne nous veut que du bien.

Monsieur-le-doute réussit toujours à se tailler une place de choix au cœur de nos remises en question. A-t-on fait le bon choix ? Devrait-on rebrousser chemin pendant qu'il est encore temps ? Ne devrait-on pas redevenir comme avant et se rendormir doucement ? En ces périodes épuisantes d'incertitude, le seul fait d'accepter notre vulnérabilité, de reconnaître notre faiblesse humaine, de considérer notre état comateux comme temporaire et tout à fait normal, fera naître en nous le réconfort et l'assurance que, malgré les apparences, tout se passe exactement comme cela doit se passer.

Le sage sait que peu importe ce qu'il vit, il ne perdra jamais rien. Certes, on peut avoir l'impression fugace de perdre quelque chose dans l'immédiat, mais ce n'est qu'un leurre. Rappelons-nous les deux pas en arrière de tout à l'heure qui nous préparent aux trois suivant, en avant cette fois. Il est évident que notre tête profitera de nos moments de doute pour tenter de nous entraîner vers des scénarios apocalyptiques. C'est son travail. Mais si on demeure vigilant, rien de cela n'arrivera. Aucun scénario que nous concoctera notre mental menteur ne se passera comme prévu.

Si on engage tout notre être à retrouver la passion de vivre, on s'engage également à s'abandonner totalement aux impétueux mouvements de la mer qui nous berce et aux fluctuations imprévisibles de ses marées. Même si on croit reculer, cela s'avérera faux, car la lumière se trouve toujours au bout du tunnel. Tout recul n'est que temporaire. Notre être ne génère pour lui-même que du bien : de la joie, du détachement, un maximum d'amour et d'abondance en tout. Alors, laissons-le agir dans le sens qu'il veut bien donner à « sa » vie, même si on doute parfois des moyens peu orthodoxes utilisés. Nos côtés mental, émotionnel et physique ne sont que des parties de l'*être*. Lui, il est tout ça à la fois. Comme il ne « se » veut que du bien, il ne « nous » veut également que du bien.

Je sais qu'il faut un sacré culot, pour oser s'aimer soi-même autant. C'est pourquoi je me crie mille fois bravo et je me fous de tous les jugements. Moi seul sait ce qui est bon pour moi, moi seul et mon petit enfant.
En ce dernier, je mets toute ma foi,
c'est lui qui me pousse à aller en avant.

Dès notre tendre enfance, la sacro-sainte bienséance a tôt fait de nous inculquer comment il était important de laisser passer les autres avant soi, de s'oublier pour autrui. Lorsqu'on opte pour la passion de vivre, donc l'amour de soi, on se surprend à agir de plus en plus à l'encontre de cette règle d'or, s'attirant par le fait même une pléthore de jugements défavorables. Qu'à cela ne tienne, il faut quand même faire preuve d'un certain culot pour affirmer envers et contre tous notre amour pour soi, et encore plus pour agir en conséquence. On passe alors pour des égocentriques invétérés.

La passion de vivre nous amène à nous aimer avant tout. Je ne dis pas ici de se foutre des autres en ne contemplant que son nombril, mais plutôt de s'aimer à travers les autres, en les aimant à la fois tout autant. Lorsqu'on commence à s'aimer soi-même sans attendre que cela vienne des autres, on peut alors se porter un toast pour se féliciter de nos efforts en ce sens. Même si peu de gens peuvent comprendre notre démarche, ceux qui le feront nous le rendront doublement. Tant qu'on ne réussira pas à se crier à soi-même : « Mille fois bravo ! », on n'attirera personne pour le faire pour nous. C'est comme pour la règle d'or du jugement : *si on ne se juge pas, on n'attirera pas le jugement des autres*. De cette façon, si des flèches empoisonnées sont lancées dans notre direction, on les évitera tout naturellement, sans faire d'effort. Et la plupart du temps, on ne les verra même pas. Ça se fera tout seul.

Il n'y a qu'une seule personne qui puisse décider de ce qui est juste ou non pour soi. C'est nous, évidemment. L'enfant sage en nous comprend intuitivement les choses. C'est l'adulte qui complique tout. Un jour où j'avais été blessé par les mots de quelqu'un à mon endroit, mon vieux sage intérieur me lança soudainement cette phrase : « il n'y a rien ni personne d'assez important dans l'univers entier pour que tu te fasses du mal ». Je réalisai qu'en réalité, ce n'était pas ce que j'avais entendu qui m'avait blessé, mais l'interprétation et l'importance que je lui avais accordé. Si nous croyons sincèrement à notre droit fondamental au bonheur, nous ne pourrons laisser personne s'y opposer trop longtemps.

À tous ceux dont les cœurs souffrent, à tous ceux qui sont déchirés. À tous ceux qui étouffent, qui manquent d'air même à aimer. Traversez le pont sans regarder derrière, le sac au dos et le cœur joyeux. Vous y verrez une belle lumière, l'enfant en vous en sera si heureux.

Loin de dire qu'elle s'avère nécessaire, on peut toutefois avancer sans risque de se tromper que la souffrance est annonciatrice de changements. Quand on constate qu'une disharmonie est en train de s'installer en nous, c'est un signe très clair qu'un ajustement majeur s'impose dans notre vie. Dans bien des cas, ce sera notre peur de l'intensité engendrée par le changement en question qui fera que nous préférerons garder notre souffrance, car elle, au moins, on la connaît. Si on pouvait demeurer à l'affût de la venue de toute souffrance en soi pour pouvoir la démasquer à temps, dès qu'elle se fait sentir, au lieu de la nourrir par nos idées négatives et nos scénarios invraisemblables, notre passion de vivre ne s'atténuerait jamais. C'est notre réfraction au changement qui nous maintient dans le sommeil. Refuser de changer, c'est se bander soi-même les yeux pour être bien certain de ne pas se voir tel qu'on est et découvrir sa propre vérité, se contentant plutôt d'adhérer gentiment à celle des autres.

Savez-vous qu'au nom de l'amour, on peut attacher quelqu'un à tel point que, sans s'en apercevoir, il s'étouffera lui-même avec sa propre corde ? Savez-vous qu'au nom de ce même amour, dans le but inavoué de se faire aimer, on peut aussi s'étouffer soi-même par la peur du rejet, de déplaire et de décevoir l'autre ? Dans bien des couples, ce sont les deux personnes qui s'étouffent elles-mêmes, chacune de son côté, juste parce qu'ils n'osent pas se dire les vraies choses. Le résultat de ces frustrations accumulées est qu'un jour, les volcans entre en éruption au moment où on s'en attend le moins et la lave projetée éclabousse et détruit tout ce qui se trouve à des kilomètres à la ronde. Si on savait dire aux gens concernés le fond de notre pensée avant que les insatisfactions ne s'accumulent trop en nous et n'éclatent, tout serait si facile. C'est ce qu'apprennent à faire les passionnés qui ont le courage d'exprimer avec tact leurs appréhensions, leurs déceptions, leurs joies aussi, sans se retrancher tout le temps sur la défensive. Lorsque deux amants deviennent en plus deux amis, le degré d'amour vient de grimper d'un cran, peut-être deux...

Lorsqu'on s'éveille à soi, des ponts menant vers des terres inconnues se construisent constamment sur notre route. Des ponts qui ne demandent qu'à être traversés avec courage et confiance absolue en sa bonne étoile. Chacun de ceux-ci mène évidemment vers du nouveau. On doit laisser l'ancien derrière, ce qui est parfois déchirant si on choisit de le faire en bloc. Ce qui n'est pas nécessaire d'ailleurs. Pourquoi souffrir ? Mais dès qu'on met le pied sur l'autre rive, la vie nouvelle qui s'y trouve nous éclaire du feu de ses magnifiques imprévus et de ses surprises inimaginables. On oublie alors l'ancien avec une telle facilité...

Les ponts ne se détruisent pas pour autant dès qu'on les a franchis. Au contraire, ils restent là et l'on peut désormais les traverser à volonté en sens inverse, mais cette fois consciemment et enrichi de tout ce qu'on a acquis de l'autre côté. Dès lors, l'enfant en soi peut recommencer enfin à s'amuser.

FAIRE L 'AMOUR 24 HEURES PAR JOUR

Le texte de cette chanson m'a été inspiré par un couple d'amis qui, après plus de trente ans de vie commune, déclarait en riant se faire encore l'amour tous les jours. Intrigué par les ardeurs peu communes de nos deux tourtereaux, je ne pus résister à leur demander des détails. En hommage à ces deux amis, Marie-France et Raynald, voici leur secret…

FAIRE L'AMOUR, ÇA NE SE FAIT PAS QUE LE SOIR...

Faire l'amour, ça commence le matin, par le premier regard qu'on se donne, le premier sourire, la première caresse, le premier bonjour. Faire l'amour, c'est s'apporter le petit-déjeuner au lit ou, simplement, un café ou un jus de fruits accompagné d'une petite chanson d'amour et de mots tendres récités avec toute la gaucherie dont on peut faire preuve en ces moments-là.

Faire l'amour, c'est lancer à l'autre dans la glace un clin d'œil complice lorsqu'il fait sa toilette. C'est aussi l'embrasser sans raison, juste pour le plaisir de le faire, sans rien attendre en retour. Faire l'amour, c'est demander à l'autre quelle nuit il a passée, et écouter attentivement sa réponse. C'est prendre le temps de se regarder, de se parler, de se toucher avant d'entreprendre la journée de travail.

Faire l'amour, c'est accompagner l'être cher à la porte au moment où il se prépare à partir. C'est lui donner un baiser et lui souhaiter une bonne journée. C'est s'installer à la fenêtre et lui faire un signe de la main en affichant son plus beau sourire. Faire l'amour, c'est se téléphoner pour un rien, juste pour se dire qu'on s'aime ou prendre des nouvelles. C'est se faire des surprises sans rien attendre en échange.

Faire l'amour, c'est prendre l'autre dans ses bras chaque fois que c'est possible, juste pour sentir la chaleur de l'être aimé, rétablir le contact et se donner de l'affection. Faire l'amour, c'est parfois accorder à l'autre la liberté de vivre pour lui-même, sans attachement excessif, en lui laissant sentir qu'on l'aime toujours même si nos corps sont loin l'un de l'autre.

———————

Faire l'amour, c'est être assuré que nos âmes se moquent des distances et sont tendrement enlacées en toute situation, quel que soit le nombre de kilomètres qui nous sépare. Faire l'amour, c'est s'accueillir et s'étreindre au retour à la maison, c'est s'informer de ce que l'autre a vécu durant la journée. C'est également le petit verre de vin qu'on prend le temps de déguster ensemble en se racontant toutes sortes de choses ou en goûtant tout simplement la sagesse du silence.

———————

Faire l'amour peut aussi se résumer en une pensée lancée vers l'autre, les yeux fermés pendant un instant. Faire l'amour, c'est même écouter la télé, serrés l'un contre l'autre. C'est rire ou s'émouvoir ensemble. C'est vivre à deux et nourrir cette complicité de n'importe quelle façon. Faire l'amour, c'est aussi « faire l'amour »…, mais ce n'est pas que ça ! Ça fait partie d'un tout indissociable, comme un dessert qui vient couronner un repas déjà succulent !

THINLEY, PETIT MOINE TIBÉTAIN

Om Ma Tri Mu Yé Sa Lé Du...

Thinley, petit homme des montagnes, enfant d'un Tibet déchiré.
La seule façon pour que tu gagnes, c'était que tu sois déporté.
Dans un mélange d'amour et de larmes, tes parents t'ont un jour
abandonné. Aux frontières d'un Tibet sans âme,
en Inde, ton seul espoir de liberté

Tu savais qu'au-delà de ces frontières, tu ne reverrais plus tes parents. Tu fus recueilli dans un Monastère. Thinley tu n'avais que 8
ans. Noyant ta peine dans les prières, dans les mantras, dans les
cérémonies, tu laissais tous tes souvenirs derrière.
Adieu tes Himalayas, adieu ta patrie.

À 12 ans dans tes habits de moine, on croirait voir un ange du
paradis. Mais sous cette aura et ce grand calme,
Thinley, l'enfant, s'est endormi. T'as retrouvé une famille et des
frères, une raison de vivre et d'espérer.
Mais tu n'as plus les bras d'une mère pour t'accueillir et te consoler.

Dans cette vie que tu embrasses, il y a peu de place pour l'amour.
La solitude est ta carapace, tu vis dans l'Esprit nuit et jour. Quand
on te voit prier c'est magique, on sent tes dieux bien implantés en
toi. Mais sous ce nuage magnifique, Thinley surtout ne t'oublie pas

Quand t'auras 18 ans, petit moine, tu pourras rester là ou retourner
au Tibet, berceau de ton âme, sinon pour la vie continuer à prier.
D'ici ce temps-là, petit homme, j'aimerais que parfois tu penses à
moi. Pour éviter que moi aussi je m'endormes,
pourrais-tu me faire une place dans tes mantras...

PASSION TIBÉTAINE

Les tibétains sont un peuple passionné, alliant dans leur vie quotidienne spiritualité, humour, courage et compassion avec une dextérité digne des plus grands sages. C'est ainsi que je peux décrire le mieux ces gens magnifiques que j'ai côtoyés à maintes reprises lors de mes voyages en Inde. Passionnés de vérité, ils ne se targuent jamais de la détenir à eux seuls. Ils savent écouter autant que parler. Voici d'ailleurs une de leurs maximes que j'ai déjà citée dans ce livre mais je me permets de réécrire ici, car elle décrit bien l'étendue de leur sagesse : *Si tu sais quelque chose, tu te contentes de l'être. Si tu commences à le savoir, tu t'informes, tu en parles. Mais si tu ne le sais pas, tu l'enseignes.* Alors, avis à tous les enseignants, auteurs, praticiens, psychologues, psychothérapeutes… – et je m'inclus dans ce lot – ne vous en faites pas : *nous enseignons tous ce que nous avons le plus besoin d'intégrer.* Personne n'a à s'enorgueillir de son savoir, car en le faisant, il démontre simplement qu'il ne l'a pas encore assimilé.

Le mantra *Om Ma Tri Mu Yé Sa Lé Du*

Plusieurs connaissent le fameux mantra tibétain *Om Mani Padme Hum.* Par contre il en existe un autre, moins connu peut-être, mais tout aussi important : *Om Ma Tri Mu Yé Sa Lé Du*

Le texte de cette chanson nous fera connaître ce petit bijou de mantra utilisé entre autres chez les adeptes de la religion Bôn. Assorti à celui-ci, nous apprendrons l'histoire de Thinley, un enfant qui réside avec plus de 200 autres petits moines au monastère de Menri, près de la ville de Solan dans les montagnes pré-himalayennes du nord de l'Inde.

Om Ma Tri Mu Yé Sa Lé Du est le Mantra essentiel de la religion Bôn. Il a la particularité de développer la compassion et la paix de l'esprit. En voici une explication concise.

OM est une invocation à *Tönpa Shenrab Miwo*, le Bouddha historique de la religion Bôn. Il représente la compassion et les moyens habiles.

MA est une invocation à *Kunsal Jamma Chenmo*, la Grande Mère Aimante, toute de clarté, sa parèdre. Elle représente la sagesse.

Les 6 syllabes qui suivent sont des invocations aux six *Dulshen*, les émanations que *Tönpa Shenrab Miwo* a manifestées dans les six mondes d'existence conditionnée (en Sanskrit : *Loka*) afin d'aider tous les êtres, en dissipant leurs souffrances, en transformant leurs émotions négatives en leur antidote et les guidant jusqu'à la libération ultime : l'état de Bouddha.

TRI est une invocation à *Mucho Demdrug*. Il libère tous les êtres qui vivent dans le monde des enfers brûlants et glacés, transformant leur émotion prédominante, la colère (germe d'une naissance dans le monde des enfers), en son antidote : l'amour infini.

MU est une invocation à *Sangwa Ngangring*. Il libère tous les êtres qui vivent dans le monde des fantômes affamés et assoiffés, transformant leur émotion prédominante, l'avidité (germe d'une naissance dans le monde des fantômes), en son antidote : la charité infinie.

YE est une invocation à *Tisang Rangzhi*. Il libère tous les êtres qui vivent dans le monde des animaux, transformant leur émotion prédominante, la stupidité (germe d'une naissance dans le monde des animaux), en son antidote : la sagesse infinie.

SA est une invocation à *Drajin Pungpa*. Il libère tous les êtres qui vivent dans le monde des humains, en transformant leur émotion prédominante, la convoitise (germe d'une naissance dans le monde des humains), en son antidote : la largesse infinie.

LE est une invocation à *Chegyal Parti*. Il libère tous les êtres qui vivent dans le monde des demi-dieux ou *Asura*, en transformant leur émotion prédominante, l'arrogance (germe d'une naissance dans le monde des demi-dieux), en son antidote, l'état de paix infinie, mettant ainsi un terme à leurs disputes et combats.

DU est une invocation à *Yeshen Tsgpud*. Il libère tous les êtres qui vivent dans le monde des dieux en transformant leur émotion prédominante, l'indolence (germe d'une naissance dans le monde des dieux), en son antidote : le zèle infini.

La syllabe **OM**, composée de cinq éléments graphiques, représente également les cinq sagesses divines et les cinq corps (*en Sanskrit : Kaya*).

Réciter ou chanter ce mantra permet de transmettre de la sagesse et de la compassion à tous les niveaux de l'univers, de celui de la lumière (TRI) à celui de l'ombre (DU). Et comme nous sommes tous liés au Tout par le biais de notre être, nous imprégnons du même coup de force pure et divine autant nos parties les plus lumineuses que celles les plus sombres. Ce que j'aime beaucoup des tibétains, c'est qu'ils accordent autant d'importance à l'ombre qu'à la lumière. L'un ne peut exister sans l'autre. Il est utile de réciter ce mantra lorsque nous avons besoin de calme et de paix, lorsque nous voulons nous en remplir ou en transmettre à quelqu'un d'autre. Les résultats s'avèrent étonnants – c'est en l'expérimentant que vous le constaterez – et nous apportent une meilleure confiance en soi ainsi qu'au pouvoir extrêmement puissant de l'intention que nous mettons lors de notre pratique. Il faut bien comprendre que le mantra n'est pas là pour nous rattacher à quelque chose d'extérieur à soi, mais plutôt pour gagner suffisamment confiance en soi qu'un jour on en ait plus besoin.

Maintenant l'histoire de Thinley

Lors de mon premier voyage au monastère tibétain de Menri en Inde, je ne me doutais pas que ma vie allait changer. En effet, alors que je participais avec mon groupe de voyageurs à une fête en l'honneur des enfants du monastère – un *Tea Party* –, mon regard croisa celui de *Thinley Phurba*, un petit bonhomme aux yeux aussi tristes que lumineux. Il était alors âgé de neuf ans. En une fraction d'univers, un déclic intérieur s'est opéré en nous, mutuellement, comme si on s'était reconnu après des années-lumière. Depuis cet instant magique, nous sommes devenus des frères de cœur inséparables. À notre insu, il s'était créé un lien inexplicable, impossible à décrire en mots, une expérience à vivre.

À ce que j'ai pu comprendre de son histoire, et à l'instar de la plupart des enfants de cet endroit, Thinley a été recueilli par des moines aux frontières du Tibet et de l'Inde. Ces enfants arrivent parfois en très piteux état, vous comprendrez. Ils sont alors pris en charge par le monastère. Leurs parents optent pour cette déchirante alternative – *dans un mélange d'amour et de larmes,* dit la chanson – qui consiste à les confier aux bons soins de gens qui pourront s'en occuper bien mieux qu'eux. *Thinley* vit présentement au monastère avec ses deux frères. Lors de ma dernière visite, il me racontait les larmes aux yeux que sa mère n'était venue qu'une seule fois les revoir depuis des années et que son père, quant à lui, était décédé.

Les enfants de Menri sont élevés dans les mantras et les cérémonies, selon la tradition Bôn, une des plus vieilles traditions tibétaines. Même s'ils sont bien traités, nourris, logés et habillés, une chose évidente nous saute aux yeux lorsqu'on se trouve parmi eux : leur manque d'affection d'une mère, l'encouragement d'un père, la motivation et l'appartenance à une cellule familiale. Ils passent donc une grande partie de leur enfance à chanter le mantra, à prier et à méditer. À jouer aussi, heureusement. Un jour, lorsqu'ils atteindront la majorité, ils se retrouveront devant le choix déchirant de poursuivre leur vie monastique et prononcer leurs vœux de moine, sinon de retourner dans le « vrai monde ».

Le cœur de Thinley a rencontré le mien et, sans le savoir, nous avons scellé un pacte d'amitié. Nos rencontres de quelques jours par année sont trop courtes mais d'une intensité dont on ne pourrait se passer l'un comme l'autre, un ressourcement qui a pour effet de recharger nos batteries pour les mois qui suivent. Un jour, cet ange qui fut mis sur ma route m'écrivit du haut de ses dix ans : « Je crois que Dieu t'a donné à moi en cadeau ». Je lui ai répondu : « Mais moi, j'aurais parié que c'était toi... »

Maintenant que vous savez, il ne vous reste plus qu'à « être ».
Bonne route.   *André et ... Thinley*

Pour toute information pour les conférences, concerts, et voyages
offerts par André Harvey :
www.andreharvey.info   harvey@globetrotter.net